S0-BCQ-502

РАЗВИТИЕ ЭМОЦИОНАЛЬНОГО ИНТЕЛЛЕКТА

Подсказки, советы, техники

Gill Hasson

EMOTIONAL INTELLIGENCE POCKETBOOK

Little Exercises for an Intuitive Life

Джилл Хэссон

РАЗВИТИЕ ЭМОЦИОНАЛЬНОГО ИНТЕЛЛЕКТА

Подсказки, советы, техники

Перевод с английского

Москва
2019

УДК 159.942
ББК 88.411-52
Х 99

Переводчик В. Краснянская
Редактор В. Заведеева

Хэссон Д.

Х 99 Развитие эмоционального интеллекта: Подсказки, советы, техники / Джилл Хэссон ; Пер. с англ. — М. : Альпина Паблишер, 2019. — 127 с.

ISBN 978-5-9614-6744-4

С детства нас учат сдерживать, подавлять или игнорировать свои эмоции: злиться или завидовать — плохо, грустить или ревновать — неправильно. Однако умение распознавать эмоции — и свои и чужие — позволяет адекватно реагировать на них. Поэтому так важно развивать свой эмоциональный интеллект: те люди, которые умеют принимать взвешенные решения в стрессовых ситуациях, могут правильно реагировать на критику и способны к сопереживанию, успешнее как в личной жизни, так и на работе. В своей книге известный специалист в области личностного роста Джилл Хэссон учит, как справляться с ситуациями, когда эмоции вас переполняют, как определять эмоциональные нужды окружающих и как не попадать в эмоциональные ловушки других людей.

Если вы хотите контролировать влияние эмоций на вашу жизнь и улучшить взаимоотношения с людьми, то это практическое руководство поможет вам понять, как использовать ваш эмоциональный интеллект в полную силу.

УДК 159.942
ББК 88.411-52

ISBN 978-5-9614-6744-4 (рус.)
ISBN 978-0-857-08730-0 (англ.)

Содержание

ВВЕДЕНИЕ

Очень важно понимать, что эмоциональный интеллект не противостоит интеллекту, не утверждает превалирования разума над сердцем. Он представляет собой уникальную совокупность того и другого.

Дэвид Карузо, актер и продюсер

Что такое эмоциональный интеллект? Это понимание того, как с помощью эмоций доносить какую-то информацию до разума и как использовать разум для понимания своих эмоций и управления ими.

В нашей жизни столько противоречивых требований, забот и обязательств, что мы часто ощущаем себя перегруженными, подавленными, неуверенными в себе и нерешительными, непонятыми окружающими или неспособными понять других.

Понимая собственные чувства и управляя ими с помощью эмоционального интеллекта, вы сможете лучше выразить свое состояние и свои желания, в то же время отдавая должное чувствам и поведению других людей.

Этот процесс является динамическим; то, насколько вы можете понимать собственные эмоции и управлять ими, обусловливает вашу способность понимать эмоции других людей и управлять ими. А чем лучше вы понимаете эмоции других людей, их намерения и мотивы поведения, тем адекватнее реагируете на них и эффективнее взаимодействуете с ними.

Эмоциональный интеллект может помочь вам в общении с другими людьми, укрепив ваши взаимоотношения с ними и в личной жизни, и на работе. Вы сможете лучше определять эмоциональные нужды других и управлять ими. Вы научитесь думать, прежде чем реагировать, и узнаете, как справляться с переполняющими вас эмоциями.

Развитие эмоционального интеллекта может сделать вашу жизнь счастливее благодаря умению размышлять и вести себя адекватно в сложных ситуациях, контролируя свои чувства, что, возможно, прежде вам давалось нелегко.

Но эмоциональный интеллект — это не только понимание *трудных* ситуаций и эмоций и управление ими. Он также помогает создавать хорошие эмоции, обеспечивающие позитивный настрой, доверие, поддержку, мотивацию и вдохновение.

КАК ПОЛЬЗОВАТЬСЯ ЭТОЙ КНИГОЙ

Жизнь продолжает давать нам одни и те же уроки, пока мы их не усвоим.
Рэйчел Вудс, актриса

Книга состоит из четырех глав:

1. Понимание эмоций.
2. Управление эмоциями.
3. Развитие эмоционального интеллекта.
4. Развитие социального интеллекта.

В каждой главе рассматриваются определенные ситуации или обстоятельства и приводятся практические решения — идеи, советы, подсказки и приемы, которые помогут вам понять и применять эмоциональный интеллект.

Если вы хотите понять, что такое эмоции, как они возникают и почему мы их ощущаем, прочитайте главу 1 «Понимание эмоций». Если вы намерены развить свой эмоциональный интеллект и научиться управлять эмоциями — и своими, и чужими, — вам помогут последующие главы этой книги. Если вам нужно узнать, как справляться с неприятными эмоциями, например злостью или разочарованием, воспитать в себе смелость, надежность, способность мотивировать и вдохновлять других, то просто воспользуйтесь идеями, подсказками и приемами, которые вам подходят, и попробуйте применить их на практике.

Некоторые из подсказок и советов будут особенно полезны в определенных ситуациях или с отдельными людьми. Чем чаще вы будете их использовать, тем быстрее поймете, что событиями, чувствами, другими людьми и даже вами самими гораздо легче управлять с помощью эмоционального интеллекта.

В обычной жизни старайтесь держать эту книгу всегда при себе, поскольку изложенные в ней подсказки, приемы, идеи и предложения действительно помогут вам ощутить, что вы управляете своим спокойствием, перспективами и пониманием.

ГЛАВА 1
ПОНИМАНИЕ ЭМОЦИЙ

ПОЧЕМУ МЫ ОЩУЩАЕМ ЭМОЦИИ

Все знают, что такое эмоции, пока их не попросят дать определение. И тогда выясняется, что этого никто не знает.

Б. Фер и Дж. Рассел, социальные психологи

Эмоции играют важную роль в том, как мы думаем, и в том, как мы себя ведем. Они помогают защищать людей и поддерживают их физическую безопасность, побуждая реагировать на угрозы. Основные эмоции, такие как страх, злость и отвращение, не ждут, пока вы будете соображать, что происходит. В критических ситуациях они опережают слишком медленное мышление, мгновенно предупреждая нас об опасности и требуя незамедлительной реакции — бить или бежать.

Другие эмоции — социальные — позволяют людям сосуществовать в своем кругу. Такие эмоции, как, например, вина, стыд, благодарность и любовь, обеспечивают взаимоотношения и связи, которые объединяют семьи, друзей, соседей и сообщества.

Также эмоции позволяют нам формировать и выражать идеи и мысли, которые не всегда являются плодом сознательного мышления. Злость, например, может побудить к созданию экспрессивного полотна, а тоска и грусть — вдохновить на прекрасные, трогательные стихи, песни и музыку. Живопись, музыка и литература вызывают и внушают эмоции, создавая эмоциональную взаимосвязь между искусством и его почитателями.

Таким образом, у всех эмоций есть положительное значение; они способствуют нашей безопасности, обеспечивают взаимосвязь с другими людьми и вдохновляют на творчество. С одной стороны, эмоции могут сужать наши мышление и поведение, а с другой — углублять и расширять наши мышление и опыт.

На практике

Ничто так не возрождает к жизни и так не убивает, как эмоции.
Жозеф Ру, художник

Старайтесь развивать понимание того, что эмоции способствуют вашей физической безопасности, а также служат социальным и творческим целям.

- Вспомните ситуации, когда эмоции побуждали вас действовать автоматически, не раздумывая. Охваченные, например, страстью, отвращением или злостью, вы реагируете мгновенно.
- Вспомните случаи, когда вы испытывали социальные эмоции, которые заставляли вас говорить или делать что-либо, чтобы управлять вашим взаимодействием с другим человеком.

Были ли это случаи, когда вы, к примеру, пытались загладить свою вину, после того как совершили неверный поступок?

- Вспомните ситуации, когда кто-то выказывал вам свое сочувствие, сострадание или доброту. Помогло ли это вам почувствовать понимание, спокойствие и поддержку?
- Случалось ли вам ощутить на себе влияние чужих эмоций? Например, как только вы замечаете, что кто-то раздражен и огорчен, ваши эмоции начинают побуждать вас предложить ему свою помощь?

Вспомните любимую песню или мелодию. Какие чувства они у вас вызывают? Какие композиции, фильмы, стихи, книги, картины вдохновляют вас, а какие заставляют грустить и размышлять? Какие песни и какая музыка поднимают вам настроение?

Понаблюдайте за собой: какие эмоции ведут вас к тому или иному действию, сберегают ваше время, помогают вам что-то сделать, достучаться до кого-то или реагировать на поступки другого?

СОСТАВНЫЕ ЧАСТИ ЭМОЦИЙ

Эмоции связывают воедино мысли, чувства и действия.

Джон Д. Майер, психолог

Осознаёте вы это или нет, но любая ваша эмоция состоит из трех частей: мысли, физических ощущений и поведения; они возникают не в каком-то определенном порядке, однако каждая из них может оказывать влияние на остальные. Ваши мысли могут влиять на ваше физическое самочувствие, что может отразиться и на вашем поведении. Точно так же ваше поведение может отразиться на вашем самочувствии и размышлениях.

Например, вы, придя домой, обнаруживаете, что душ не работает или отключили отопление. Снова. Вы злитесь. Ваша гневная реакция может начаться с физических проявлений: мускулы напрягаются, сердце колотится, дыхание учащается. Это запускает и поведенческие реакции: вы стучите кулаком по столу: «Ну только не это! Снова! Мне уже этого за глаза хватило!»

Или, может быть, вы стучите кулаком по столу, вызывая физические изменения: напряжение мускулов, учащение пульса и дыхания. И у вас тут же появляются те же мысли.

Или гневная реакция может начаться с мысли: «О Боже мой, только не это! С меня хватит!» И эта мысль приведет к повышению пульса, учащению дыхания и напряжению мускулов. А потом вы стукнете кулаком по столу.

Эмоциональный интеллект помогает лучше осознавать и понимать эти разные составные части эмоций.

На практике

Давайте не будем забывать, что маленькие эмоции управляют нашей жизнью, а мы подчиняемся им, сами того не понимая.

Винсент Ваг Гог

Каждая из приведенных ниже ситуаций провоцирует вас на эмоции: на тревогу, радость и разочарование. У каждой эмоции есть физические проявления и возможные мыслительные и поведенческие реакции.

Представьте себе, какие чувства, мысли и модели поведения могли бы появиться в этой ситуации у вас. А могли бы они у другого человека быть совсем иными?

Ситуация: презентация на работе

Эмоция: тревога

- Физические проявления.
- Мысли.
- Поведение.

Ситуация: сдача теста, экзамена или предложение работы

Эмоция: радость

- Физические проявления.
- Мысли.
- Поведение.

Ситуация: долгожданное событие не состоится

Эмоция: разочарование

- Физические проявления.
- Мысли.
- Поведение.

Когда вы ощутите сильную эмоцию, например злость, радость, вину, замешательство, постарайтесь определить все ее составные части: физические проявления, мысли и поведение. Такое препарирование эмоции поможет вам увидеть взаимосвязь этих частей, их взаимодействие и то, как они могут повлиять на вас и других людей, испытывающих какую-либо эмоцию.

ПОЛОЖИТЕЛЬНАЯ РОЛЬ ЭМОЦИЙ

Никогда не извиняйтесь за проявление своих чувств. Когда вы это делаете, вы извиняетесь за правду.

Хосе Н. Харрис, психолог и нейропсихолог

Мы часто думаем об эмоциях как о положительных или отрицательных. Но дело в том, что наше стремление иметь только «положительные» эмоции, такие как счастье, надежда и сострадание, непродуктивно, поскольку предполагает, что мы должны избегать «негативных» эмоций — негодования, нетерпения и ревности — или подавлять их.

Однако все эмоции играют положительную роль. Например, страх, злость, грусть и сожаление могут быть неприятными переживаниями, но они для нас очень полезны.

Самый яркий пример такой эмоции — это страх, который нас защищает. Тревога тоже может играть положительную роль. Например, тревога по поводу экзамена может заставить вас сосредоточиться на подготовке к нему, не отвлекаясь ни на какие развлечения, и повторить материал. Тревога становится негативной только тогда, когда переполняет вас так, что вы не можете ясно мыслить.

Дело в том, что переживание «отрицательных» эмоций зачастую побуждает нас усиливать их негативными реакциями. Возьмем, к примеру, сожаление. Положительное значение этой эмоции — подтолкнуть нас к извлечению уроков из произошедшего, чтобы не допустить подобных ошибок в будущем. Сожаление становится негативным лишь тогда, когда мы, обуреваемые негативными мыслями, начинаем обвинять себя и бездействовать. Но это не сама эмоция оказывается отрицательной, таковыми становятся наши мышление и бездействие.

На практике

Ваш разум может запутаться, но эмоции вам никогда не лгут.

Роджер Эберт, кинокритик и телеведущий

Старайтесь не забывать о положительной роли всех эмоций. Эмоции — это способ, позволяющий вашему разуму и вашему телу общаться с вами. Они пытаются добиться от вас положительного, целесообразного действия в ответ на то, что произошло, происходит или может произойти.

- Как вы считаете, какой могла бы быть положительная роль чувства вины, ощущения ответственности или раскаяния за какой-то ваш проступок или неправильное действие, которое вы, по вашему мнению, совершили?
- Как вы считаете, какой могла бы быть положительная роль злости или такого сильного чувства, как ощущение несправедливости, вызванного вашей или чьей-то неправотой?
- Как вы считаете, какой могла бы быть положительная роль зависти — ощущения обиды от того, что у кого-то есть что-то, чего у вас нет?
- Как вы считаете, какой могла бы быть положительная роль отвращения, сильной антипатии, омерзения, тошноты или гадливости по отношению к кому-то или чему-то?

Имейте в виду: если вы не обращаете внимания на какую-либо эмоцию, подавляете или отрицаете ее, если вас переполняет или парализует какая-либо эмоция, то вы не позволяете себе получить и понять необходимую вам положительную информацию, которую пытается донести до вас эта эмоция.

ВЗАИМОСВЯЗЬ ЭМОЦИЙ

То, что у тебя эмоциональный диапазон, как у чайной ложки, еще не означает, что он у всех нас такой же.

Гермиона Грейнджер, героиня серии книг Дж. Роулинг

Как вы думаете, сколько у нас эмоций? Пятьдесят? Восемьдесят? Больше ста? Некоторые люди могут сказать, что основных эмоций всего шесть — радость, удивление, страх, отвращение, злость и грусть, — а все остальные являются их производными.

Конечно, существует еще масса эмоций помимо этих шести. Но действительно ли такие эмоции, как зависть и ревность, значительно отличаются друг от друга? А раздражение и досада — разве это не одно и то же?

Отделить одну эмоцию от другой, сказать, где кончается одна и начинается другая, непросто. Если, к примеру, речь идет о таких эмоциях, как счастье и разочарование, то мы знаем по собственному опыту, сколько у них оттенков: мы можем чувствовать себя очень счастливыми или чуть-чуть счастливыми; очень разочарованными или разочарованными слегка.

Более того, в каждый момент времени мы можем переживать несколько эмоций — быть нервными и возбужденными, грустными, но успокоенными, — что добавляет еще одно измерение в сложную картину нашего эмоционального опыта.

Для того чтобы лучше понять эмоции, разобраться в их индивидуальных и взаимосвязанных качествах и характеристиках, ученые попытались разбить их на категории, чтобы показать отличия и связи между ними.

На практике

Есть четыре основные эмоции — злость, грусть, радость и страх. Если вы затрагиваете их, то ваш зритель или читатель у вас в кармане.

Ларри Уингет, писатель и оратор

Наберите в любом поисковике запрос «Группа эмоций Джеррода Пэррота». Пэррот выделяет шесть основных эмоций, а все остальные предлагает считать их производными. Например, и вина, и разочарование проистекают из основной, первичной эмоции грусти, а гордость и успокоение — из основной эмоции радости.

Наберите в любом поисковике запрос «Колесо эмоций Роберта Плутчика». Придуманное им «колесо эмоций» используется для распределения их по категориям и понимания того, как они взаимодействуют. Колесо состоит из восьми основных, первичных эмоций и восьми «продвинутых». Каждая «продвинутая» эмоция состоит из двух основных: например, презрение состоит из злости и отвращения, а оптимизм — из радости и ожидания.

Идея Плутчика — аналогия с цветовым спектром: точно так же, как из основных цветов образуются все остальные, так и основные эмоции в сочетании представляют всю гамму человеческих чувств. Ученый предполагает, что у каждой основной эмоции есть свой антоним. Например, удивление — противоположность ожидания.

Понимание эмоций — создаем связи. Дает ли вам классификация Пэррота четкое понимание содержания, мотиваций и поведения, скрывающихся за эмоциями? Помогает ли лучше понять такие эмоции, как раскаяние и сожаление, тот факт, что обе они проистекают из основной эмоции — грусти? Или, скажем, то, что ревность и зависть восходят к злости?

Есть ли в этом какой-то смысл? Согласны ли вы с автором концепции?

Как вы считаете, на «колесо эмоций» Плутчика сочетание грусти и удивления действительно дает разочарование? Является ли любовь сочетанием радости и доверия? Как вы думаете, страх полностью противоположен злости?

НАСТРОЙКА ИНТУИЦИИ

Интуиция не посещает неподготовленный разум.
Альберт Эйнштейн

Если у вас когда-либо возникало ощущение, что в ситуации что-то не так, что одно не стыкуется с другим, значит, у вас был интуитивный опыт. И если вы когда-либо чувствовали, что все прекрасно складывается и сочетается, значит, у вас также был интуитивный опыт. Интуиция — это мгновенное знание. Вы не понимаете почему, вы не можете этого объяснить, вы просто чувствуете это и это знаете.

Интуиция — это способность постижения чего-то на бессознательном уровне. Интуиция объединяет сознательную и бессознательную части нашего разума, связывает эмоцию и мысль.

Разум и тело постоянно получают информацию из окружающего мира. Когда что-то вызывает у нас сильную эмоцию, наше подсознание обращается к прошлым знаниям и опыту, вспоминая определенный набор обстоятельств — событий, действий, образцов поведения, физических ощущений, мыслей, запахов, вкусов и/или звуков. Оно использует эту информацию, чтобы мгновенно предупредить нас о том, что нам следует остановиться или, напротив, двигаться вперед, поскольку набор обстоятельств правильный.

Интуиция использует все мысли и уровни в поиске прямого ответа. Однако это происходит так быстро, что мы не успеваем осознать и понять сам процесс.

На практике

Доверяйте своим озарениям. Обычно они основываются на фактах, спрятанных в подсознании.

Джойс Бразерс, психолог и телеведущая

Обращайте внимание! Очень часто интуитивные догадки теряются в потоке всего того, что происходит внутри нас и вокруг нас. Почувствовав, что интуиция пытается вам что-то сказать, преодолейте все препятствия и помехи, чтобы настроиться на свои истинные чувства, мысли, слова и образы, которые исходят из вашего разума.

В любой ситуации оставайтесь открытыми для своей интуиции. Будьте начеку — и вы заметите сочетание сигналов, которые, возможно, передают одно и то же сообщение. Когда сочетания сообщений, которые получают ваши чувства, сложатся в единое целое, ваша интуиция громко и четко заговорит и все мгновенно встанет на свои места.

Отслеживайте окружающую обстановку. Все ваши органы чувств постоянно собирают информацию об окружающем мире. Будьте более внимательны к обстановке — к видам, запахам, звукам и т. д. — в повседневной жизни, проявляйте осторожность, когда что-то не так, неправильно.

Прислушивайтесь к своему телу и сигналам, которые оно может вам посылать. Когда что-то ощущается как неправильное или вы в чем-то не уверены, вас часто предупреждает об этом физическая составляющая эмоции. Вспомните, например, как кто-то пытался заставить вас сделать что-то, что вы не считаете правильным. Какие физические ощущения вы при этом испытывали?

Относитесь с уважением к интуиции других людей. Прислушивайтесь к интуиции других людей. Когда кто-то говорит вам, что он «просто знает» что-то, но не может это объяснить, воспринимайте это серьезно.

НЕВЕРБАЛЬНАЯ КОММУНИКАЦИЯ

Когда глаза говорят одно, а язык — другое, опытный человек больше верит первым.

Ральф Уолдо Эмерсон, поэт, философ и общественный деятель

Мы все передаем друг другу информацию о наших нуждах, чувствах, намерениях, предпочтениях и антипатиях, причем не только словами, но и всем своим видом. Если человек зол, испуган, удивлен, чувствует отвращение, радость или грусть, ему даже не нужно ничего говорить — все написано у него на лице.

Но другие эмоции бывает нелегко распознать: вы не всегда можете определить только по выражению лица человека, что он сейчас чувствует.

Конечно, вы можете спросить, но то, что человек говорит о своих ощущениях, и то, что он чувствует на самом деле, — это разные вещи. Люди не всегда честно говорят о своих чувствах и не всегда сами ясно их понимают. Тем не менее они дают подсказки и делают это с помощью невербальной коммуникации.

Исследования профессора Альберта Мейерабиана показали, что эмоции и чувства на 7% передаются словами, на 38% — тоном голоса и на 55% — языком тела. Это означает, что 93% того, что человек чувствует на самом деле, передается невербально.

Выражение лица, поза, жесты и тон голоса эмоционально окрашены и могут дать вам подсказки, обеспечив полезной и надежной информацией об истинных чувствах и намерениях другого человека.

На практике

Мысли я не читаю. Я читаю знаки.

Майли Сайрус, актриса и певица

Ищите больше одной подсказки. Одно-единственное выражение или жест обычно не могут сказать вам столько, сколько сочетание жестов, позы, выражения лица и тона голоса человека. Вам нужно искать комбинацию невербальных сигналов.

Учитывайте контекст — определенные обстоятельства или ситуацию, в которой находится человек, когда пытаетесь понять, что он сейчас чувствует.

Именно сочетание невербальных сигналов и контекста, в котором они подаются, создаст точную картину его чувств, намерений и потребностей.

Не верите другому человеку? Когда кто-то не производит впечатления честного человека, когда его слова не звучат правдиво и кажутся неверными, это происходит потому, что то, что́ он говорит, не соответствует невербальным сигналам. Например, хотя человек может и улыбаться, когда кто-то другой получает награду, но отсутствие зрительного контакта и слишком громкий пронзительный голос выдают его истинные чувства, несмотря на то, что он рассыпается в поздравлениях.

Отслеживайте изменения. Изменения в эмоциональном состоянии человека проявляются в его невербальном поведении. Что бы ни происходило внутри, снаружи все отражается.

Тренируйте свое умение «считывать» людей. Наблюдайте, как люди взаимодействуют друг с другом в барах, ресторанах, кафе, магазинах, и отмечайте, как они ведут себя и реагируют друг на друга. Попытайтесь представить, что они говорят и чувствуют, судя по тому, что между ними происходит.

Выключите звук во время просмотра фильма, дискуссионной передачи или мыльной оперы и понаблюдайте за жестами, выражениями лиц и т. д. Какое сочетание невербальных сигналов наводит вас на мысль о том, что человек испытывает ту или иную эмоцию?

СЛОВА ДЛЯ ЭМОЦИЙ

Разве можно другому рассказывать, что ты чувствуешь?

Лев Толстой. Анна Каренина

Когда вы говорите: «Я счастлив», какое именно счастье вы испытываете? Это счастье оттого, что светит солнце и погода отличная? Оттого, что выиграла любимая команда? Или оттого, что все анализы на инфекции оказались отрицательными?

Мы часто не можем четко определить, чтó чувствуем, и порой не испытываем никакой уверенности по этому поводу. Например, возможно, у вас в жизни была ситуация, о которой вы вспоминаете так: «Я чувствовал себя просто ужасно». «Ужасно» — это не эмоция, но, может быть, самое точное определение ваших ощущений.

Найти правильные слова для объяснения своего самочувствия не всегда просто и легко. Что бы вы ни подразумевали под словом «счастливый», описывая свое чувство, для другого человека оно может означать совсем иное. Хотя слово «счастливый» имеет жизнеутверждающее, оптимистичное значение для большинства людей, для некоторых отсутствие стресса и причин для беспокойства — уже счастье.

Умение давать четкое определение эмоциям поможет вам лучше понимать поведение — свое собственное и других людей, — предугадывать его и управлять им.

На практике

За словарным запасом нужно постоянно ухаживать, иначе он зачахнет.

Ивлин Во, писатель, журналист и критик

Замечайте и называйте свои эмоции. Начните с того, чтобы отмечать, как вы себя чувствуете в различных ситуациях. Можете ли вы назвать эмоцию, которую ощущаете? Когда вы чувствуете себя «великолепно» или «ужасно», способны ли вы подобрать точное слово для описания той эмоции, которую ощущаете?

Уделите этому время. В некоторых ситуациях вы можете быть не уверены в своих чувствах или в том, какие эмоции вас переполняют. Дайте себе минуту подумать над этим. Позвольте думающей части своего мозга включиться в процесс и осознать собственные ощущения в определенной ситуации, чтобы адекватно отреагировать на нее, задействовав эмоциональный интеллект.

Раздраженный, восхищенный, безразличный. Какие слова вы чаще всего используете для описания своих чувств? Посмотрите значения этих слов в словаре или в интернете. Вы согласны с ними? Отражают ли эти слова ваши ощущения или вы вкладываете в них иной смысл?

Создавайте свой эмоциональный словарь. Развивайте словарный запас наименований чувств, чтобы лучше выражать свои эмоции. Сколько эмоций вы можете назвать? Попытайтесь подобрать по одной эмоции на каждую букву алфавита.

Наберите в поисковике словосочетание «словарь эмоций», и вы получите перечень слов, описывающих эмоции.

Наберите в поисковике словосочетание «эмоции, для которых нет обозначения в русском языке». Немногие из нас используют все — или хотя бы большинство — русских слов для описания эмоций, но даже в этом случае мы все равно испытывали бы ощущения, которые, очевидно, нельзя описать словами. Хотя в некоторых случаях нужные слова существуют — не в русском языке.

СДЕРЖАННОСТЬ

Никто не может заставить вас чувствовать себя ущербным без вашего на то согласия.

Элеонора Рузвельт

Вас подвел друг; вы стали свидетелем безобразного поведения своего спутника на светском мероприятии; на вас накричали из-за ошибки в работе. В каждой из этих ситуаций возникают определенные чувства. Как бы вы себя чувствовали в любой из них? Разочарованным, смущенным, расстроенным? Задетым и разозленным?

А если бы вы захотели рассказать другому человеку, как себя чувствовали, что бы вы сказали? Вы бы сказали: «Ты смутил/обидел/огорчил меня» или «Ты меня разозлил»?

Такая реакция предполагает, что за наши эмоции ответственны другие люди и обстоятельства. Но это не совсем так. Вы сами создаете свои эмоции. И остальные тоже создают свои собственные эмоции.

Обвиняя других, вы тем самым оправдываете свои ощущения. Вы убеждаете себя в том, что ваше плохое самочувствие вызвано поступком другого человека. Это не ваша вина в том, что вы себя так чувствуете, — это его вина. Вам неприятно так себя чувствовать, поэтому вы обвиняете в этом другого. Вы принимаете на себя роль жертвы, считая, что безвинно страдаете.

Если вы будете брать на себя всю ответственность за свои эмоции, то это позволит лучше управлять ими, поскольку они принадлежат именно вам, а не кому-то другому.

На практике

Победители берут на себя ответственность, проигравшие обвиняют других.

Брит Хьюм, телеведущий и политический комментатор

Вспомните случаи, когда вы чувствовали себя виноватым, злым, огорченным, испытывали ревность или разочарование. Вы обвиняли кого-то в таком своем состоянии? Был момент, когда вы думали или говорили: «Ты/он/она/они заставили меня чувствовать...»? В будущем старайтесь лучше осознавать ситуации и события, прежде чем обвинять других людей и обстоятельства в том, что вы чувствуете. В любой ситуации, когда возникают трудности или разногласия, спрашивайте себя: «Как и что я чувствую?», а потом отвечайте себе словами: «Я чувствую...» вместо обвинения: «Он заставляет меня чувствовать...» или «Она заставила меня чувствовать...».

Перефразируйте свое высказывание. Говоря: «Ты меня злишь», вы обвиняете другого человека в ваших чувствах.

Но, сказав: «Я испытываю злость», вы берете на себя ответственность за это чувство.

Как можно перефразировать следующие выражения:

Вы меня смутили... — Я чувствую себя смущенным.
Вы говорили неправду... — Я чувствую себя обманутым.
Вы заставили меня чувствовать себя так, как будто я сделал что-то плохое. — Я чувствую...
Вы разочаровали меня. — Я чувствую...
Вы заставили меня почувствовать мою незначительность. — Я чувствую...

УДОВЛЕТВОРЕНИЕ ЭМОЦИОНАЛЬНЫХ ПОТРЕБНОСТЕЙ

Счастье — это внутренняя работа. Не давайте никому другому такой власти над своей жизнью.

Мэнди Хэйл, писательница

У каждого из нас есть жизненно важные физические и эмоциональные потребности. Физические потребности — это пища, вода, сон, тепло и крыша над головой, а эмоциональные потребности — это необходимость в том, чтобы вас принимали, ценили и вам верили. Чтобы вы нравились и были любимы, чтобы вас уважали и вы были в этом уверены. Чтобы вы могли сами доверять и знали, что вам тоже верят. Чтобы понимать и быть понятым, чтобы чувствовать себя ценным и достойным.

Каждому из нас эти ценности важны в разной степени. Одним нужно больше воды, больше еды или больше сна, другим, возможно, — больше свободы и независимости, а третьим — больше безопасности и социальных связей. Кому-то необходимо чувствовать, что он чего-то достиг, а кому-то больше хочется принятия и восхищения.

Когда вам удается удовлетворять свои эмоциональные потребности, вы чувствуете себя в безопасности, сохраняете уравновешенность и понимаете, что ваша жизнь имеет цель и значение.

Но мы не только не должны винить других людей в своих расстроенных чувствах, но и не вправе перекладывать на кого-либо удовлетворение наших эмоциональных потребностей. Никто не может «заставить» нас почувствовать себя хорошо.

Конечно, мы можем попросить кого-то помочь нам удовлетворить наши эмоциональные и социальные потребности, но не должны рассчитывать на то, что кто-то другой будет нести за это полную ответственность.

На практике

Вы не хотели бы нести ответственность за чье-то счастье, так, пожалуйста, не перекладывайте ни на кого ответственность за ваше.

Дженнифер О'Нил, актриса, модель и писательница

Определите свои эмоциональные потребности. Вместо того чтобы обвинять других в нежелании удовлетворить ваши эмоциональные потребности, постарайтесь определить свои нужды. Это поможет вам взять на себя ответственность за них. Вы знаете, что голод и жажда — это сигналы, побуждающие вас к тому, чтобы удовлетворить свои физические потребности, то есть поесть и попить. Таким образом, неудовлетворенные физические нужды вы ощущаете как физический дискомфорт, а неудовлетворенные эмоциональные — как эмоциональный дискомфорт.

Как узнать, испытываете ли вы эмоциональную потребность? Да, испытываете, если обычно надеетесь, что другие люди — ваш партнер, друзья, родные или коллеги — сделают вас счастливыми. Если вы, к примеру, полагаете, что другие избавят вас от скуки и одиночества. Если вы постоянно оглядываетесь на других в поисках одобрения или подтверждения. Если вы всегда ожидаете от других благодарности и признательности за то, что вы для них сделали, и чувствуете себя обманутым, если они так не поступают. Если вы часто огорчаетесь, нуждаясь в том, чтобы кто-то утешил и успокоил вас.

Примите на себя ответственность за свои потребности. Точно так же, как вы принимаете на себя ответственность за то, чтобы накормить себя, будучи голодным, вы должны поступать и по отношению к эмоциональным потребностям. Определив эту потребность, вы должны что-то сделать для ее удовлетворения. Например, если вам скучно, попытайтесь заняться чем-то интересным для вас. Если вы одиноки, найдите возможность для общения с другими людьми.

ПРЕДСТАВЛЕНИЯ ОБ ЭМОЦИЯХ И ОЖИДАНИЯ ОТ НИХ

Отрицание — это не просто река в Египте[1*].

Марк Твен

У всех нас есть свои представления об эмоциях и о том, что происходит, когда мы и другие люди выражаем определенную эмоцию.

Взрослея, многие из нас узнают, что чувствовать и выражать некоторые эмоции «плохо» или «неправильно», поскольку другие люди могут игнорировать, высмеивать, недооценивать и отрицать их. Это едва ли может научить нас понимать свои эмоции и чувства и управлять ими.

Например, если в детстве вам выговаривали за проявления злости или ревности, то теперь вы можете пытаться подавлять, отрицать или игнорировать эти эмоции, когда они возникают.

Вас могли учить, что если кто-то относится к вам несправедливо, то вы не должны даже в мыслях желать ему чего-то плохого, тем более радоваться, когда с ним действительно такое происходит.

Также вам могли внушить, что вы должны чувствовать эмоции — любовь, всепрощение, раскаяние, вину — даже тогда, когда вы их совсем не ощущаете.

Если у вас сложилось представление о том, что вы «не должны» ощущать определенную эмоцию, то вы будете пытаться игнорировать или подавлять ее, тем самым лишая себя возможности понять, что́ она старается вам сообщить. А если вы полагаете, что «должны» испытывать определенную эмоцию, то можете почувствовать вину или смущение оттого, что ее не ощущаете.

---

[1] Приписываемая Марку Твену фраза основана на созвучии слов *denial* (отрицание) и *Nile* (река Нил) в английском языке. — *Прим. пер.*

На практике

На чувства невозможно не обращать внимания, какими бы неправедными или неблагодарными они ни казались.

Анна Франк

Хотя не приносящие никакой пользы предубеждения, связанные с эмоциями, могут быть родом из детства, вы способны воспринимать их более позитивным и конструктивным образом, заменив более оптимистичными представлениями о чувствах.

Подумайте о следующих ситуациях и связанных с ними эмоциях:

Что вы думаете о проявлении... — разочарования, ревности, вины, негодования?

Как вы считаете, нормально ли выражать эти эмоции? Как вы себя чувствуете, когда другие люди демонстрируют разочарование, ревность, вину или негодование?

Какие мысли и представления связаны у вас с... — прощением, извинениями, доверием?

Что вы чувствовали, когда должны были простить кого-то? Если вы извиняетесь, то ждете ли, что вас простят? Что должно произойти, чтобы вы начали кому-то доверять?

Бросайте вызов своим предубеждениям. Как только у вас возникают упомянутые выше мысли об эмоциях, спрашивайте себя: «Почему я так думаю? Каким образом мои мысли мне могут помочь? Какие мои мысли не приносят никакой пользы?»

Интересуйтесь предубеждениями и ожиданиями других людей. Вы замечаете, что другие люди говорят и думают об эмоциях и их проявлении? Часто ли вам приходилось слышать от других людей: «Я знаю, что не должен так себя чувствовать, но...»?

Понаблюдайте, как легко дети злятся и грустят и как быстро к ним возвращаются радость и возбуждение. Посмотрите, как окружающие их взрослые реагируют на детские эмоции.

ЭМОЦИОНАЛЬНЫЕ ТРИГГЕРЫ

Триггер — это действие или событие, которое является стимулом, приводит к реакции или ряду реакций либо становится для них предпосылкой.

Определение с сайта www.dictionary.com

У каждого из нас есть свои эмоциональные триггеры — особые ситуации или события, которые запускают эмоциональные реакции. Счастливый опыт может вызвать приятные эмоции. Например, определенная песня или мелодия может вызвать приятные воспоминания о счастливых случайностях и событиях. Но непростые ситуации и опыт могут вызвать трудные эмоции.

Когда компьютер не работает как надо, это становится спусковым крючком для многих из нас, но чаще всего разные события и ситуации действуют на людей по-разному. Возможно, для вас триггер — это чья-то критика вашей одежды; для кого-то другого это сущий пустяк, но вы-то сразу же чувствуете, что над вами глумятся. Может быть, вы неожиданно вспоминаете, что забыли позвонить родителям, и тут же вас охватывает тревога с примесью вины. Для кого-то еще таким триггером может стать опасное вождение: если впереди кто-то резко трогается с места, это для такого человека — как красная тряпка для быка.

Эмоциональные триггеры часто толкают нас на самые плохие поступки. Если вы о них не знаете, то такое поведение может вам казаться автоматическим и не поддающимся контролю.

Научиться распознавать свои эмоциональные триггеры — это первый шаг к изменению собственных неосознанных автоматических реакций.

На практике

Жизнь — это очень эмоциональный опыт.

Тони Голдуин, актер и режиссер

Определите свои триггеры. Вы не можете предсказать каждую ситуацию, но знаете, какие из них выводят вас из себя. Что может неожиданно вас напугать? Что вас мгновенно огорчает? В каких ситуациях вы испытываете разочарование и обиду? Из-за чего вы точно почувствуете себя смущенным и униженным? Составьте список таких ситуаций.

Выясните, как воздействуют на вас ваши триггеры, — что заставляет вас злиться, ревновать, чувствовать себя виноватым или униженным. Часто вы не можете распознать свой триггер, пока он не сработает. В дальнейшем, когда у вас будет возникать сильная эмоциональная реакция, записывайте ее. Опишите без лишних подробностей, в двух-трех предложениях, то, как возникла эмоция и что к этому привело.

Наблюдайте за своими мыслями. Например, вы думаете: «Как он посмел!» или «О нет, я чувствую себя ужасно!». Физические ощущения: возможно, вы чувствуете себя напряженным, часто дышите и сердце колотится. Ваше поведение: готовы заплакать, повышаете голос и набрасываетесь на других людей.

Не забывайте о тех ситуациях, в которых вы становитесь более уязвимым для эмоциональных триггеров. Когда вы устали, голодны, слишком много выпили, переживаете стресс и т. д. Бывает такое время и такие ситуации, когда вы, столкнувшись с триггером, не сможете контролировать вспышки эмоций. Если вы не будете специально обращать на это внимание, то и не заметите, что легко взрываетесь, скажем, тогда, когда голодны.

Не забывайте о тех ситуациях, которые способны запустить ваши сильные эмоции. Какие из этих ситуаций являются для вас триггером? Когда вам отказывают, вас обвиняют, судят или критикуют? Когда вы чувствуете, что вам не рады, вас игнорируют, отвергают или пытаются контролировать? Когда вы ощущаете несправедливость и неуверенность? Определение и понимание своих триггеров — это первый шаг к управлению ими.

ГЛАВА 2
УПРАВЛЕНИЕ ЭМОЦИЯМИ

ФОРМИРОВАНИЕ ЯЗЫКА ТЕЛА, ВЫРАЖАЮЩЕГО УВЕРЕННОСТЬ

Как язык ведет разговор с ухом, так и жест ведет разговор с глазом.

Король Яков I

Взаимодействуя с другими людьми, мы не всегда осознаем, сколько и какой информации передаем им невербально. Однако известно, что невербальная коммуникация часто демонстрирует наши чувства и эмоции гораздо яснее, чем наши слова.

Выражение лица, жесты, то, как мы стоим, как быстро и громко говорим, насколько приближаемся к другим людям, — все это свидетельствует о том, что́ и как мы чувствуем. Сознательно или нет, другие люди делают выводы о нашем отношении и эмоциях. И даже когда мы молчим, мы все равно общаемся посредством позы и выражения лица.

Язык тела и невербальное поведение очень важны для того, чтобы человек, с которым мы общаемся, чувствовал себя комфортно. Например, когда ваши слова не сочетаются с жестами, выражением лица и т. д., противоречивое сообщение, которое вы транслируете, создает у вашего слушателя замешательство и недоверие.

Зная о том, какой должна быть оптимальная невербальная коммуникация — язык тела, жесты и т. д., — вы сумеете создать атмосферу доверия и взаимопонимания в отношениях с другими людьми.

На практике

Я говорю на двух языках — на английском и на языке тела.

Мэй Уэст, актриса, драматург, сценарист и секс-символ

Вы можете повлиять на то, как вас ощущают и воспринимают другие люди, просто изменив свою позу. Не стоит перенимать позы, жесты и выражения лица, которые вам кажутся странными или неестественными; вам нужно усвоить всего пару «уверенных» жестов или выражений, и ваши тело и разум подстроятся под них. Если вы хотите казаться более толковым и уверенным в себе, не просто демонстрируйте уверенность, но на самом деле почувствуйте себя уверенным, воспользовавшись следующими приемами:

- стойте или сидите прямо;
- высоко держите голову;
- расслабьте плечи;
- равномерно распределите свой вес на обе ноги (если вы сидите, то не скрещивайте ноги, поставьте обе ступни ровно на пол);
- если вы сидите, то держите локти на подлокотниках кресла, а не прижимайте их к бокам;
- если вы сидите, держите кисти рук на коленях или на столе;
- добейтесь необходимого зрительного контакта;
- говорите тише;
- говорите медленнее.

Вы не можете контролировать все аспекты невербальной коммуникации. На самом деле, чем больше вы стараетесь, тем неестественнее выглядите. Но если вы просто будете постоянно пользоваться одним или двумя приемами, то ваши мысли, чувства и поведение подтянутся за ними.

Это процесс динамический; маленькие изменения в том, как вы используете свое тело, могут в итоге привести к большим изменениям в ваших ощущениях, в поведении и в том, какое воздействие вы оказываете на других людей.

Какие два невербальных приема вы предпочтете? Выберите и потренируйтесь их использовать в различных ситуациях.

СНИЖЕНИЕ ЭМОЦИОНАЛЬНОГО ГРАДУСА

Когда дело доходит до выражения чувств... вы должны быть осторожны. Есть страсть, а есть эмоциональная нестабильность.
Александра Левит, писательница

Вы получаете письмо с отказом, ваш ребенок не хочет есть, родители вас не одобряют, над вами прилюдно смеются, вас просят поработать сверхурочно. Снова. У всех нас есть эмоциональные триггеры — особые ситуации, которые приводят к сильной эмоциональной реакции.

Самое плохое наше поведение часто провоцируют эмоциональные триггеры. Если вы не знаете, какие именно механизмы запускают у вас сильную эмоциональную реакцию, то может казаться, что негативное поведение возникает само по себе и не поддается вашему контролю. Но если вы знаете, какие именно ситуации вызывают у вас сильные эмоции, то можете разработать стратегии для снижения эмоционального градуса и управления трудными эмоциями.

Если оставить в стороне экстренные ситуации, то в большинстве случаев нам необходимо четкое, спокойное размышление, а не эмоциональный отклик вслепую. Вместо того чтобы реагировать автоматически, вы должны уметь остановиться и задействовать рациональную, способную мыслить часть своего мозга. Это нужно для того, чтобы отреагировать сознательно и целенаправленно, так, чтобы не усугубить ситуацию.

Как только вы замечаете, что начинаете реагировать эмоционально, — а вы поймете это по реакции своего тела (ощущается напряжение, дыхание учащается, сердце бьется быстрее) или по своему поведению (готовы заплакать, повышаете голос или резко разговариваете с другими людьми), — вам нужно сделать что-то, чтобы снизить градус эмоций.

На практике

Эмоции заставляют торопиться, разум велит подождать.

Неизвестный автор

Сосредоточьтесь на своем дыхании. Попробуйте следующее:

- задержите дыхание на пять секунд (чтобы «перезапустить» его);
- потом медленно вдыхайте в течение трех секунд, а выдыхайте еще медленнее — в течение пяти секунд; помните, что выдох должен быть медленным;
- дышите, на вдохе медленно считая до трех, а на выдохе — до пяти, в течение минуты.

Этот прием полностью не уберет эмоции — разочарование, тревогу или раздражение, — но сделает вас спокойнее.

Привлекайте свой разум. Напишите записку со словами: «СТОЙ! ПОДУМАЙ!» и повесьте ее на свой компьютер, холодильник или туда, где вы ее быстрее увидите в тот момент, когда вам понадобится сдержаться, чтобы ни о чем позднее не жалеть.

Отвлеките себя тем способом, который вам помогает. Прогуляйтесь немного. Посмотрите книгу или сайт с красивыми пейзажами или произведениями искусства. Послушайте приятную музыку. Используйте тактильные ощущения, например подержите в руках лед или примите горячий душ.

Дайте эмоциям выход. Пойте под громкую музыку. Кричите и вопите там, где вас никто не услышит.

Возьмите тайм-аут. Извиниться и выйти в туалет — это вполне приемлемый способ получить передышку без лишних объяснений, позволяющий спокойно обдумать свои чувства и решить, как позитивно на все отреагировать.

Думайте наперед. Сильные эмоции могут помешать вам увидеть будущее. Подумайте о том, как ваша реакция будет выглядеть завтра, месяц спустя и год спустя. Как вы теперь себя чувствуете?

СТРЕСС

Если вы спросите, что является самым главным залогом долгой жизни, я скажу вам, что нужно избегать волнений, стрессов и напряжения. А если вы меня об этом не спросите, я вам все равно это скажу.
Джордж Бёрнс, актер и писатель

Стресс — это чувство, которое возникает при слишком сильном ментальном или эмоциональном давлении. Когда давление усиливается и требования возрастают, возникают перенапряжение и психологический стресс. Он может повлиять на ваши ощущения, мышление и поведение и даже на то, как реагирует ваше тело.

Хотя большинство людей считают, что к стрессу приводят серьезные события, такие как потеря работы, разрыв отношений со значимым человеком или проблемы с деньгами, вызвать его могут и более мелкие происшествия.

Для разных людей стрессовыми являются самые разные события и ситуации. У каждого из нас есть свой собственный их список: сроки сдачи работы, проволочки, необходимость заниматься несколькими вещами одновременно, незавершенные дела или неверные поступки, нужды и требования других людей — все это особенно часто ведет к стрессу.

Большинство из нас может справиться с одной вещью, которая провоцирует стресс, но когда трудности наваливаются скопом, бороться с ними бывает нелегко. Стресс захватывает ваш разум, мешая мыслить ясно.

Для того чтобы найти выход, управлять своим стрессом и уменьшить его, вам нужно успокоить эмоциональную часть своего мозга и задействовать его рациональную, думающую часть.

На практике

Для того чтобы быстро полегчало, постарайся замедлиться.

Лили Томлин, актриса, сценарист и продюсер

Осознайте и примите то, что вы ощущаете себя перегруженным. Возможно, вам не нравится происходящее, но вместо того чтобы бороться с этим, становясь все напряженнее и эмоциональнее, вы, осознав и приняв свой стресс, можете успокоить свое эмоциональное мышление и задействовать рациональную часть мозга.

Замедлитесь. Делайте все на 20% медленнее. Это может показаться странным, но такая замедленность позволяет вашему мозгу поразмыслить и найти способы управления стрессом, к тому же сам факт замедления ослабляет стресс. Попробуйте это сделать!

Делайте передышки, чтобы подышать. Это можно сделать в любом месте и в любое время. Просто найдите две-три минуты для того, чтобы прекратить все занятия и просто сосредоточиться на своем дыхании. Такая передышка поможет вам успокоиться, собраться с мыслями и прояснить их.

Если вы можете мыслить ясно, постарайтесь расставить приоритеты. Определите самое важное из того, что действительно нужно сделать. Составьте план. Обдумайте, какие шаги необходимо предпринять и как это сделать. Гораздо легче двигаться прямиком к следующему этапу, уже имея план действий. Это позволит вам сохранять устойчивый темп и постепенно увеличивать его. Скажите себе: «У меня есть план. Я могу этим управлять».

Дайте себе больше времени. Сократите свои обязанности и отведите на выполнение каждой больше времени. Не планируйте все дела подряд, оставляйте между ними промежутки. Если вы постоянно торопитесь перейти от одной задачи к другой, отведите на них больше времени. Если вы думаете, что вам понадобится полчаса, чтобы куда-то добраться, то, может быть, стоит дать себе сорок пять минут, чтобы не волноваться из-за возможных задержек в пути.

РАЗОЧАРОВАНИЕ

Мы можем испытать последнее разочарование, но никогда не утратим беспредельной надежды.

Мартин Лютер Кинг

Вам не предлагают подходящую работу, не дают повышения или отказывают в новом месте — все это может стать источником разочарования. А еще им может стать неудачное знакомство в интернете, проигрыш любимой команды и не очень веселая новогодняя вечеринка.

Разочарование приносят не оправдавшие себя ожидания или надежды. Вы можете почувствовать себя обманутым и обескураженным — это вполне естественная реакция на боль и грусть от несбывшихся надежд.

Тем не менее каждый человек, которому удалось в жизни чего-либо достичь, преодолевает разочарование. Вместо того чтобы поддаваться разочарованию, становясь циничным или пессимистичным, такой человек извлекает из него уроки и меняет свои планы так, чтобы вернуться на путь достижения поставленных целей.

Эмоциональный интеллект позволит вам понять, что разочарование имеет и положительное значение, помогая вам двигаться к своей цели, а не от нее. Как это получается? Разочарование побуждает вас обдумать произошедшее и соответственно изменить свои ожидания. В итоге вы набираетесь опыта, узнаете новое — о себе, о другом человеке, о ситуации — и двигаетесь вперед, учитывая то, чему научились.

На практике

Если мы успокоимся и будем в достаточной степени готовы, то найдем компенсацию для любого разочарования.

Генри Дэвид Торо, писатель и общественный деятель

Ощутите свою эмоцию. Разочарование — это эмоция, корни которой лежат в грусти, и поэтому, как и в случае с грустью, вам нужно побыть с ним наедине, имея достаточно времени, чтобы его признать и принять, понимая, что все действительно уже произошло и ничего изменить нельзя.

Извлеките из случившегося уроки. Когда вы в последний раз испытывали разочарование? Чему оно вас научило? Вы уже перестали об этом думать? Чтобы извлечь из разочарования уроки, нужно подумать над произошедшим, понять, что пошло не так, и решить, что нужно сделать по-другому, чтобы избежать подобных разочарований в дальнейшем.

Решите, что нужно двигаться вперед. Если вы зацикливаетесь на провале, то увязаете в нем и не можете преодолеть свое разочарование. Пока вы будете размышлять над случившимся или неслучившимся, путаясь в негативных мыслях, вам будет очень трудно думать и действовать конструктивно в сложившейся ситуации.

Само собой это не происходит, вам нужно решить, что вы должны найти в своем положении что-то позитивное, и подумать о том, что можно сделать. Старайтесь быть открытыми для новых идей и способов действий. Вместо того чтобы думать: «Я должен был / не должен был», попробуйте сказать: «В следующий раз я буду...», или «Может помочь, если...», или «Я могу...», или: «Теперь я собираюсь...».

Старайтесь избежать разочарования в будущем. Запасной план не только поможет вам чувствовать себя в большей безопасности, но и смягчит разочарование, если основной план не сработает. Например, предположим, что вы не получите желаемое место работы. Если вы уже подали заявления на другие места, то у вас будет возможность подумать о них. Как сказал писатель Ален де Боттон, «самая лучшая защита от разочарования — когда многое нужно сделать».

СОЖАЛЕНИЕ И РАСКАЯНИЕ

Прошлое — это отличное место, и я не хочу стирать его и жалеть о нем, но я не хотел бы быть в нем заключенным.

Мик Джаггер

Сожаление порождает мысли о том, что в какой-то момент в прошлом вы приняли «неверное» решение что-то сделать или не делать. Вы обвиняете себя, вы ощущаете потерю и тоску, сожалея о том, что не сделали другой выбор.

Возможно, вы жалеете о том, что сделали или сказали; признались кому-то, что действительно о нем думаете; пошли на эту работу, выпили лишнее или съели кусок пирога. Но в то же время вы можете сожалеть и о том, чего не сделали или не сказали: например, не сказали кому-то о своем отношении к нему или о своих чувствах, не учились лучше в школе, не пошли на эту работу или не порвали с кем-то отношения раньше.

Сожаление отличается от раскаяния. Раскаяние — это сожаление от поступка, который может принести боль или причинить вред кому-либо. Например, когда мы предали друга или партнера или накричали на ребенка.

Есть ли положительная роль у сожаления и раскаяния? Конечно, да! Они заставляют нас загладить свои ошибки и извлечь из них урок, чтобы в дальнейшем не допускать их.

На практике

Никогда не оглядывайтесь назад, если только вы не собираетесь пойти в этом направлении.

Генри Дэвид Торо

Ощутите свою эмоцию. Когда вы ощущаете сожаление или раскаяние, вам нужно побыть с ними наедине, признать их и принять, поняв, что все уже произошло и ничего изменить нельзя.

Извлеките из случившегося уроки. Для этого нужно подумать над произошедшим, понять, что пошло не так, и решить, что нужно сделать по-другому, чтобы по возможности избегать подобных разочарований в будущем. Старайтесь извлечь из произошедшего уроки. Что нового вы узнали о себе? О других людях? Вместо того чтобы думать: «Я должен был / не должен был», попробуйте сказать: «Я должен был, но теперь я собираюсь...», «В следующий раз я буду...», или «Может помочь, если...», или «Я могу...», или «Теперь я собираюсь...».

Ищите ощущение перспективы. Если вы о чем-то сожалеете, вспомните, в какой ситуации вы что-то сделали или не сделали. Возможно, вы не могли предвидеть последствия; может быть, на вас давили, вынуждая быстро принять решение; может быть, были еще какие-то препятствия или вам не хватало поддержки, когда вы сделали то, о чем сейчас жалеете. Будьте к себе добры, помните: вы сделали то, что сделали, с учетом того, что знали в тот момент. Представьте, чтó бы вы сказали другому человеку, оказавшемуся в такой ситуации, чтобы его подбодрить.

Принимайте на себе ответственность. Если вы чувствуете раскаяние, примите на себя ответственность и спросите себя, можно ли было поступить по-другому. Есть ли какой-нибудь более благородный путь, которым вы могли бы пойти, вместо того чтобы плестись по этой низменной дороге? Не нужно ли вам в будущем установить какие-то границы и отвечать за свои поступки?

Определите, какие действенные меры вы можете предпринять прямо сейчас, и следуйте этому плану. Может быть, вам нужно с кем-то поговорить? Извиниться? Если по какой-то причине извиниться не получится, например того человека больше нет с вами рядом, запишите свои извинения на бумаге и представьте, что вас простили. Потом двигайтесь дальше.

ПРОЩЕНИЕ

Прощение не требует предания забвению какого-то оскорбительного действия, не требует забыть, что произошло, или помириться с виновником. Прощение — это возможность освободить себя от навязчивой мысли о той боли, которую вам причинили.

Дэниел Гоулман, писатель, психолог и журналист

Небольшие обиды, когда, например, кто-то прервал вас, пролез без очереди или облил ваш ковер, достаточно легко простить и забыть. А если вы сталкиваетесь с более серьезной проблемой? Если ваш друг серьезно вас подвел, ваш партнер завел интрижку на стороне, вас несправедливо уволили с работы или вы получили травму из-за чьей-то халатности?

Можно ли тогда простить и забыть? Какой смысл в прощении? И что же прощение подразумевает на самом деле?

Прощение нужно прежде всего вам самому, а не другому человеку. Оно означает, что вы отпускаете чувства обиды, поражения или гнева, которые вызывали у вас поступки другого человека. Оно подразумевает, что вы больше не хотите наказания, мести или компенсации.

Прощение не означает, что вы уступаете своему обидчику, преуменьшаете его поступок, извиняете и забываете его, — другой человек по-прежнему несет ответственность за свои действия. Возможно, он не заслуживает прощения за принесенные вам боль, грусть и страдание, но вы заслуживаете освобождения от негативных чувств.

На практике

Прощение — это, можно сказать, эгоистическое действие, дающее огромную выгоду тому, кто прощает.

Лавана Блэквелл, писательница

Помните, что прощение — это процесс. Это не переключатель, который вы поворачиваете, и все мгновенно меняется. Даже если сейчас вы не хотите прощать, вы можете идти к этому. Для начала определите, что вы чувствуете. Злость, огорчение, разочарование? Ревность или негодование? Или всё вместе? Даже если об этом не хочется думать, позвольте себе прочувствовать эти эмоции и поработайте с ними.

Не думайте о том, почему это произошло. Понимание причин чьего-то поступка может очень помочь, но зачастую мы даже не представляем, почему кто-то причинил нам боль. Вам не нужно знать, почему что-то случилось, чтобы отпустить произошедшее.

Напишите своему обидчику письмо, которое можно отсылать или не отсылать. Опишите, что не смогли ему сказать о своей реакции на его поступки и о том, как они на вас подействовали. Закончив писать, вы, возможно, поймете, что вам не стоит ему говорить все это.

Решите, хотите ли вы дать другому человеку возможность что-то исправить. Если ситуация позволяет и если другой человек извиняется, решите, хотите ли вы, чтобы он вернул себе ваше доверие. Когда человек признаёт, что он причинил вам вред, и как-то пытается его исправить, это очень помогает его простить, хотя и не всегда.

Мыслите позитивно. Подумайте, например, о человеке, который может вам помочь и поддержать вас в трудные времена. Если направлять свои мысли в позитивное русло, то это может остановить злость, горечь и негодование. Старайтесь сосредоточиться на том, что у вас в жизни идет хорошо, на тех вещах, которые делают вас счастливым, и на тех людях, которые вас не подводили.

РЕВНОСТЬ

Ревность — это когда тебя беспокоит то, что кто-то берет твое. Зависть — это когда ты хочешь заполучить чужое.

Гомер Симпсон, герой мультсериала

Когда человек ощущает ревность, он чувствует, что кто-то или что-то угрожает чему-то ценному для него. В отношениях ревность возникает между партнерами, членами семьи, друзьями и коллегами, когда человеку начинает казаться, что кто-то или что-то встает между ним и другим, что грозит ему неудачей.

Если вы не очень ревнивы, это может быть хорошо: вы держите ухо востро, убеждаясь, что не расслабились и не принимаете чьи-то слова на веру. Позитивное значение ревности заключается в том, что оно защищает вас от проигрыша, предупреждая о том, что вам, возможно, пора начать собственную игру, приложить какие-то усилия или принять меры предосторожности, чтобы ничто не ускользнуло от вас.

Но если вы слишком ревнивы, очень легко в каждом действии и решении другого человека увидеть что-то подозрительное. Ревность часто является уникальной смесью эмоций: страха, злости, негодования, горя, предательства, ощущения неадекватности и униженности. Вы можете чувствовать, что вам угрожают, что вы не находитесь в безопасности и неадекватны. Вы можете стать чересчур чувствительным, чрезмерно бдительным и властным. Но отчаянные попытки удостовериться в своей безопасности только увеличивают расстояние. Так как же научиться контролировать ревность в большей степени, чем она контролирует вас?

На практике

Ревность создает проблемы окружающим, но является пыткой и для самого человека.

Уильям Пенн, общественный деятель,
один из отцов-основателей США

Предпринимайте позитивные действия. Спросите себя: «А что я так боюсь потерять?». Чье-то время, внимание, дружбу, любовь, уважение? Ревность может подчеркнуть то, что вы цените в дружбе и других взаимоотношениях. Иногда нам нужна встряска, чтобы вспомнить самое важное и осознать, что мы можем вот-вот этого лишиться. Поэтому воспринимайте это чувство как намек на то, что нужно выразить свое признание и уважение.

Учитесь доверять. Неуверенность — это часть любых отношений. Вы не можете контролировать другого человека, но вы способны научиться ему доверять. Если вас в прошлом предавали, то можно понять, что вы чувствуете себя уязвимым. Не позволяйте своему прежнему опыту убеждать вас в том, что доверие небезопасно, верьте в преданность и честность. Сосредоточьтесь на позитивных моментах своих отношений и совместно проведенного времени.

Говорите об этом. Признать свою уязвимость, чувствительность к обидам и боязнь отказа — вовсе не слабость. Если вы этого не скажете, то все равно продемонстрируете, обвиняя во всем партнера и постоянно вмешиваясь в чужие дела. Владейте своими собственными чувствами. Не обвиняйте в них другого. Старайтесь начинать с местоимения «я»; вместо обвинения: «Ты заставляешь меня чувствовать...» лучше скажите: «Я беспокоюсь, когда...».

Опирайтесь на свои инстинкты и интуицию. Если ничего не происходит, то другой человек без проблем поговорит об этом, переживая не больше, чем при обсуждении блюд на ужин. Но если он не может спокойно обсуждать вашу неуверенность, не хочет вас ни в чем заверить или вынуждает вас постоянно переспрашивать, чтобы получить какую-либо информацию, возможно, у вас действительно есть повод для беспокойства.

ЗАВИСТЬ

Зависть — это искусство считать чужие блага вместо своих собственных.

Гарольд Коффин, писатель-юморист

Всегда есть кто-то, кому, как мы считаем, живется лучше нас. У кого-то больше опыта, больше денег, больше счастья и дети умнее наших. Может быть, вы завидуете, потому что кто-то воспользовался возможностью, на которую вы имели виды, — работой, домом, новым партнером.

Зависть может подорвать вашу уверенность, вызвав у вас ощущение, что вы отстали от жизни, а также породить некие мысли, которые приводят к негодованию и ожесточению в отношении других людей.

Возможно, вы мучаете сами себя, читая посты друзей и коллег в социальных сетях и даже изучая хвастливые записи тех, кого и вовсе не знаете. Вы сравниваете их с собой и видите свои желания; их сила подчеркивает вашу слабость. Вы сомневаетесь в собственных способностях и достижениях.

Зависть может привести к тому, что вы утратите представление о самом себе. Сравнивая себя с другими людьми, вы можете видеть только то, что есть у них и чего у вас нет.

Но в зависти есть и положительные моменты: она может побудить улучшить свое положение и достичь своих собственных целей, а не чьих-то чужих.

На практике

Любовь смотрит через телескоп, зависть — через микроскоп.

Джош Биллингс, писатель-сатирик

Признайте свою зависть. В следующий раз, когда вы опять начнете сетовать на то, что у кого-то что-то есть, и почувствуете боль, полагая, что вам все должны, знайте — это зависть. Не забывайте, что зависть сужает восприятие, поэтому сосредоточенность на том, что есть у других, может помешать вам успешно двигаться по своему пути. В результате вы окажетесь в плену у собственной зависти.

Прекратите сравнивать. От того, что вы сравниваете себя с другими, отмечая, чего нет у вас, но есть у них, вы только почувствуете себя несчастным. На свете всегда будут люди, у которых есть что-то лучше, чем у вас. Но помните, что мы всегда сравниваем самое худшее, что знаем о себе, с самым лучшим, что предполагаем в других.

Примите свое чувство. Если невозможно получить то, что есть у другого человека, — скажем, брак с рок-звездой, — примите это. Перестаньте сравнивать себя с другими. Вместо этого сосредоточьтесь на том, что есть у вас, и на том, чего вы можете достичь.

Используйте свою зависть, чтобы поставить себе цель. Это и есть эмоциональный интеллект! Если вы хотите этого, то, возможно, и они когда-то хотели. Что они сделали для получения желаемого? Вместо того чтобы возмущаться: «Почему у них это есть? Это несправедливо», измените свою установку. Разработайте план действий, чтобы получить то, чего хотите. Это сделает ваш подход более позитивным, и вы сможете его контролировать, перестав сравнивать себя с другими и отмечая, чего у вас нет из того, что есть у них, — вы будете слишком заняты, добиваясь желаемого. У вас просто не будет времени завидовать, как и причин для зависти.

Старайтесь видеть перспективы. Каждый раз, почувствовав зависть, порадуйтесь тому, чтó у вас уже есть, не думая о том, чтó имеется у того, кому вы завидуете. Вместо того чтобы думать: «У них-то все хорошо, у них все есть», попытайтесь увидеть всю картину. Постарайтесь понять, что у других людей тоже может не быть всего, чего они хотят, и что у них тоже могут быть проблемы.

ОБВИНЕНИЕ

Решайте проблему, а не занимайтесь обвинениями.

Кэтрин Палсифер, писательница

Работа, начальник, партнер или неблагополучная семья. Дети, собака, сосед, средства массовой информации или правительство. Как часто вы ищете кого-то или что-то, чтобы обвинить в том, что происходит с вами? Как часто кто-нибудь оказывается ответственным за ваши проблемы?

С обвинением связан целый ряд эмоций: злость, негодование, возмущение, обида и разочарование. Среди них может быть даже ощущение морального превосходства, когда вы считаете себя хорошим человеком, а другого — плохим: «Я прав, а ты неправ».

Конечно, в жизни много трудностей и препятствий, и нередко в проблемах действительно кто-то виноват. Но привычка обвинять кого-то или что-то в случае неудачи ставит вас в положение жертвы, беспомощной и бессильной.

Если вы считаете кого-то другого ответственным за возникновение проблемы, то думаете, что именно он должен отвечать и за ее решение. Но если вы увидите, что проблема не в этом человеке, то сможете поискать решение сами, власть будет в ваших руках.

На практике

Обвинение не лишает вас сил. Оно приковывает вас к месту, где вы не хотели бы быть, потому что вы не хотите принять временное, хотя и неприятное, решение и отвечать за свою собственную счастливую жизнь.

Шэннон Л. Олдер, писательница

Осознавайте то, что обвиняете кого-то или что-то. Хронический недосып, разбитая машина, данный другом плохой совет, которому вы последовали, — слишком часто мы по привычке кого-то или что-то обвиняем, даже не осознавая этого. Постарайтесь замечать случаи, когда вы говорите что-то вроде этого: «Это не моя вина...», «Это ты виноват...», «Ты заставляешь меня чувствовать...», «Я не смог, потому что они...», «Ты не должен был...», «Это несправедливо», «Почему ты заставил меня...».

Как только вы осознаете, что попали в ловушку негативных, обвиняющих мыслей, вы сможете из нее выбраться.

Скажите себе, что проблема не в других людях. Вы можете выбирать, что думать: что проблема в других людях и в обстоятельствах или что они проблемой не являются, и тогда вы сами можете найти решение. Каждый раз, когда вы выбрасываете из головы мысли о том, что пошло не так, или о том, что должно было случиться, вы можете свободно идти вперед.

Возьмите на себя ответственность. Обдумайте вероятность того, что вы все-таки каким-то образом причастны к сложившейся ситуации. Это не означает, что в ней больше никто не сыграл никакой роли. Это говорит лишь о том, что вы тоже могли внести в нее свой вклад. Вы обвиняете своего партнера в том, что нет молока, а он всегда забывает его купить. Так почему, зная его забывчивость, вы положились на него? Может быть, стоит почаще ему напоминать об этом или покупать самому?

Может быть, в случившемся была чья-то вина, а может, и нет. Это не имеет никакого значения. Важно только то, что вы узнали, чтó вы делаете сейчас и чтó вы сделаете в подобной ситуации в следующий раз.

ГРУСТЬ

Слово «счастье» утратило бы свое значение, если бы не уравновешивалось грустью.

Карл Юнг

Грусть — это печаль и тоска, вызванные пережитой потерей или поражением. Когда вы теряете что-то или кого-то любимого, когда вам не удается чего-то достичь, когда ваши надежды не сбываются или когда что-то хорошее заканчивается, вы можете ощутить опыт потери, который выражается как грусть.

На грусть ваше тело реагирует особым образом: энергия не прибывает, как в случае со злостью, а только уменьшается. Ваши разум и тело замедляются, чтобы дать вам время принять потерю или поражение, а также осознать то, что случившееся уже произошло и изменить ничего нельзя.

Как и у всех эмоций, у грусти может быть положительное значение. Она не только замедляет нас и дает нам время, чтобы понять и принять случившееся, но и помогает приспособиться — привыкнуть к изменившимся, другим обстоятельствам.

Проявления грусти также дают окружающим понять, что вы переживаете потерю или поражение, поэтому они могут реагировать соответственно — дать вам время и место, успокоить и поддержать вас.

Если избегать грусти или защищать от нее себя и других людей, то эмоция не будет выполнять свою работу и вы не сможете найти другие ориентиры и приспособиться к новой ситуации после потери или поражения. Избегая грусти, вы не станете счастливее. К этому ведет понимание грусти и управление ею.

На практике

Отчаяние — вот что приходит на смену грусти, если вы боретесь с ней. Сострадание приходит, если вы с ней не боретесь.

Сьюзен Пивер, писательница и буддистский учитель

Позвольте себе грустить. Очень легко подумать: «Да это все выеденного яйца не стоит, почему же мне так грустно?» Лучше принимайте грусть такой, какая она есть, — как временное и полезное состояние, которое помогает вам приспособиться к изменившимся, другим обстоятельствам.

Плачьте. По словам писательницы Рэйчел Келли, «слезы способны так объединять наши мысли, чувства и тело, что наступает облегчение».

Запишите, что заставляет вас чувствовать грусть. Облеките это в слова. Или в картину. Или в музыку.

Поговорите с кем-нибудь — с другом, психотерапевтом, родственником. Поговорите с кем-нибудь, кому вы доверяете, кто может просто выслушать и успокоить вас, а не будет пытаться судить или исправлять.

Обеспечьте себе комфорт. Делайте массаж. Ешьте здоровую пищу. Отдыхайте днем. Наденьте свою любимую одежду. Примите теплую ванну или горячий душ. Если вы будете делать то, что любите, даже чувствуя вначале, что не можете этим заниматься, это поможет вам пройти через грусть.

Посмотрите жизнеутверждающий фильм или забавные видео о животных на YouTube. Послушайте оптимистическую музыку, которая дарит надежду и подбадривает, например «Mr. Blue Sky» ELO или «Heroes» Дэвида Боуи. Зайдите на сайт www.britishacademyofsoundtherapy.com и найдите там плей-лист «Самая расслабляющая музыка в мире».

Дайте себе время приспособиться. Но помните, что руминация — бесконечное переживание грусти — откладывает выздоровление. Представьте себе будущее, когда грусть, которую вы ощущаете в этот момент, превратится просто в грустное воспоминание, и, когда будете готовы, работайте над этим.

СМУЩЕНИЕ

А теперь я должна была объяснить, что запах был в комнате, когда я вошла. С вами такое когда-нибудь случалось? Вашей вины в этом никакой нет. Вы, стараясь не дышать, только собрались выйти, а теперь должны объяснять: «Ой, послушайте, здесь такое амбре, но я этого не делала».

Эллен Дедженерес, актриса и телеведущая

Смущение — это чувство, которое охватывает вас тогда, когда с вами или с кем-то другим случается что-то неподобающее или смешное. Такие эпизоды оставляют ощущение неловкости, напряжения и даже стыда, как будто вы или кто-то другой что-то натворили.

Что бы ни вызвало у вас смущение, это всегда что-то, о чем, как вы полагаете, знают окружающие. Вы не смущаетесь, когда, к примеру, спотыкаетесь, идя домой в одиночестве, а если это случается в присутствии других, вас охватывает смятение.

Когда мы говорим: «Умираю от смущения», в нашем восприятии в таких случаях все останавливается и время замирает. Это социальная смерть! Как только вы начинаете чувствовать неловкость, ваше поведение становится еще более неуклюжим — вы хихикаете, избегаете смотреть в глаза и выглядите так, будто стесняетесь, хвалитесь или страдаете заиканием.

Хотя вы сами в такой ситуации чувствуете себя очень неудобно, но демонстрация смущения, с точки зрения социума, служит извинением в глазах окружающих как знак того, что вы сожалеете о сказанном или сделанном, или того, что вы не одобряете чье-то поведение и хотели бы держаться от этого человека подальше.

На практике

Уровень зрелости человека прямо пропорционален тому уровню смущения, который он может вытерпеть.

Дуглас Энгельбарт, ученый и изобретатель

Боритесь с ситуацией. Смущение — это признак того, что вас волнует то, как вы выглядите в глазах окружающих. Но смущение может вызвать не столько само происшествие, сколько ваша реакция на него. Конечно, вы можете сделать вид, что ничего не произошло, как моя подруга в бассейне, когда у нее расстегнулся лифчик от купальника. Она не показала своего смущения и невозмутимо уплыла подальше, надеясь, что этого никто не заметил. Но все заметили. Для того чтобы преодолеть неловкость, лучше прямо бороться с ней.

Оставайтесь невозмутимым и примите на себя ответственность за то, что вы сделали или обнаружили. Вы уже попали в неловкое положение, теперь надо выйти из него с честью. Если вы будете всех обвинять или бесстыдно уйдете прочь, это вам никак не поможет. Если вы сделали что-то не так, признайте это и принесите извинения. Например: «Ох, Боже мой, я не поняла, что вы его сестра! (Вы подумали, что женщина была матерью мужчины.) Простите меня, пожалуйста!» Вам может показаться, что признание и извинения способны усилить ваше смущение, но они позволяют окружающим что-то сказать и, возможно, даже заверить вас в том, что ничего страшного не произошло.

Тем не менее если другой человек огорчен, критикует вас или смеется над вами, не отвечайте ему тем же. Иначе вы сделаете ситуацию еще более неловкой! Лучше извинитесь снова — но только один раз.

Старайтесь видеть перспективы. Посмейтесь над неловкостью сами. Возможно, вам будет легче рассмеяться, если вы расскажете всю историю другу, который не был ее свидетелем. Как говорила комедийная актриса Миранда Харт, «когда вы находитесь вне ее, неловкая ситуация может стать самым смешным событием вашей жизни. И я считаю, что многие мои шутки берут свое начало в неприятных моментах или болезненном опыте, а вы просто хохочете над ними».

ОДИНОЧЕСТВО

Я не боюсь одиночества на вершине.

Барри Бондс, бейсболист

Существует очень большая разница между понятиями «быть одному» и «быть одиноким». Быть одному значит быть *физически* отделенным от других людей, *физически* быть самому по себе. Но одиночество означает, что вы чувствуете себя *эмоционально* отделенным от других людей, вы сами по себе *эмоционально*.

Конечно, будучи физически в одиночестве, вы можете почувствовать себя и эмоционально одиноким. Но очень часто подтверждается правота расхожей фразы о том, что можно быть одиноким и в толпе. Даже находясь среди других людей, вы остаетесь одиноким, потому что не чувствуете связи с окружающими.

Хотя к чувству одиночества приводят разные обстоятельства — переезд на новое место, переход на новую работу, разрыв отношений, тяжелая потеря, болезнь, инвалидность, дискриминация, безработица и даже уход за маленькими детьми, когда вы становитесь молодыми родителями, или за больным, — результат обычно один и тот же: вы грустите, чувствуя отстраненность, изолированность от окружающих, среди которых никто вас не понимает.

Когда вам одиноко, вы едва ли поверите в то, что у этой эмоции может быть положительное значение, но это так. Какой же положительной цели может служить одиночество? Это чувство предупреждает вас о том, что вам нужны связи и общение с единомышленниками. Одиночество может заставить вас предпринять необходимые шаги в этом направлении.

Не позволяйте грусти и чувству одиночества полностью захватить вас; устанавливайте контакты и заводите связи.

На практике

Я никогда не чувствую себя одинокой, если у меня есть книга. Книги — как старые друзья. Даже если вы не перечитываете их снова и снова, вы знаете, что они всегда с вами.

Эмилия Фокс, актриса

Делайте то, что повышает вам настроение. Взаимоотношения с другими людьми — это не единственный способ почувствовать свою связь с миром, хобби и интересы тоже могут способствовать стабильности и единению. Если вас что-то по-настоящему захватывает, вы заметите, что стремитесь побыть наедине с собой, чтобы заняться любимым делом. Писательство, рисование, садоводство, игра на музыкальном инструменте, йога, бег и т. д. могут помочь вам почувствовать себя вовлеченным в жизнь и связанным с ней. Запомните, что то время, которое вы проводите наедине с собой, может быть очень полезным: вы можете расслабиться и обрести спокойствие.

Ищите похожих на вас людей. Занимайтесь своим хобби вместе с другими. Начните с интернета. Посмотрите, например, информацию о встречах в разных местах. Это позволит вам встретиться с людьми, живущими неподалеку от вас и разделяющими ваши интересы. Людей объединяют самые разные интересы и хобби, даже такие, которых вы себе и представить не можете.

Присоединитесь к существующей группе поддержки или организуйте свою. Если вы оказались в особой, трудной ситуации — болезнь, инвалидность, тяжелая потеря, — чувствуете себя оторванным от мира и одиноким, группа поддержки может предложить вам помощь и обеспечить необходимой информацией. Вы сможете почувствовать самое настоящее единение — свою принадлежность к тому кругу людей, которые вас понимают.

Станьте волонтером. Опыт положительных эмоций приходит оттого, что вы начинаете взаимодействовать с другими людьми и помогать им. Поищите в интернете информацию о группах волонтеров неподалеку от вас.

Заведите домашнее животное — кошку или собаку. Питомец станет вам прекрасным компаньоном и поможет улучшить ваше психофизиологическое состояние.

БЕСПОКОЙСТВО И ТРЕВОГА

Старайтесь не беспокоиться, потому что в беспокойстве вязнешь, как в клее, а потом не можешь выбраться.

Терри Гийеметс, автор и собиратель цитат

Мы все знаем, каково это — время от времени чувствовать себя встревоженным и обеспокоенным; ощущать страх при мысли, к примеру, о медицинском обследовании, интервью при приеме на работу или экзамене. Возможно, вы не так давно беспокоились о том, как будете произносить речь или отправитесь в путешествие, начнете работать на новом месте или начнете изучать новый предмет в университете.

С чем бы ни была связана ваша тревога, вы можете почувствовать, что не контролируете происходящее, не можете повлиять на ход событий и не уверены, сможете ли справиться, если все пойдет плохо.

Есть ли какая-то разница между тревогой и беспокойством? Беспокойство обычно связано с определенными проблемами и проходит достаточно быстро, а тревога может быть более или менее интенсивной и длится гораздо дольше.

Но и беспокойство, и тревогу заставляют вас одинаково переживать когнитивные, физические и поведенческие расстройства. Возможно, у вас болит живот или заложен нос, мешая дышать. Когда ваш мозг одолевают негативные мысли, вы можете испытывать нервное напряжение, неспособность сосредоточиться, раздражение и руминацию.

Однако эти эмоции, как и все остальные, могут иметь положительное значение. Они сигнализируют вам, что пора принять меры, чтобы предотвратить худший сценарий развития событий.

На практике

Беспокойство — это просто свернувшаяся энергия!

Хени Рейзингер, фотограф и художник

Управляйте своими физическими ощущениями — больше двигайтесь. При быстрой ходьбе, беге, езде на велосипеде или подъеме на несколько лестничных пролетов расходуется тот адреналин, который выделяется в момент беспокойства и тревоги, к тому же физическая активность может отвлечь вас от тревожных мыслей. Помогает и работа по дому — уберите в ванной или на кухне, пропылесосьте квартиру, застелите постели, вымойте окна или поработайте в саду. Определите для себя, какой вид физической активности для вас предпочтительнее.

Управляйте своими мыслями. Научитесь планировать, а не беспокоиться. Беспокойство подразумевает, что ваш мозг снова и снова прокручивает одну и ту же проблему. Хороший план куда более позитивен.

- Определите, что вас беспокоит на самом деле. Что самое плохое может случиться?
- Найдите возможные решения; какие из ваших вариантов могут минимизировать худший из возможных сценариев или управлять им?
- Выбрав вариант, составьте план действий.

Когда у вас будет план, вы, почувствовав беспокойство, скажите себе: «Стоп! У меня есть план!» — и сосредоточьте свои мысли на этом. Представьте себе положительный исход — вообразите, как вы справляетесь с трудностями и все улаживаете.

Управляйте своим поведением. Отключите беспокойство. Послушайте музыку, почитайте книгу, посмотрите фильм, разгадайте головоломку, кроссворд или судоку, поиграйте в компьютерную игру, сходите куда-нибудь с друзьями, сыграйте в теннис, займитесь какой-нибудь работой по дому. Делайте все, что может помешать тревожным мыслям пробраться в вашу голову.

Говорите об этом. Озвучьте свои тревоги, это может убрать бóльшую часть страхов. Если вы не можете поговорить с партнером, другом или родственником, обратитесь к психологу или психотерапевту или позвоните на горячую линию.

ЗЛОСТЬ

Разозлитесь, а потом преодолейте это.

Колин Пауэлл, политический деятель

Самые разные ситуации, обусловленные социальными и политическими проблемами, или чьей-то безответственностью, или неприемлемым поведением других людей, могут вызвать нашу злость. Злость — это естественная реакция человека, который ощущает себя пострадавшим от чего-то или кого-то, отклик на несправедливость, нечестность, плохое отношение, разочарование, ложь и игнорирование.

У злости есть и положительное значение. Будучи справедливой и цивилизованно выраженной, она способна показать окружающим, какие сильные чувства у вас вызывает произошедшее, и даже помочь вам добиться желаемого. Разгневанный человек очень сильно мотивирован действовать. Как сказала Дорин Лоуренс, мать Стивена Лоуренса, убитого расистами на юго-востоке Лондона в 1993 году, «злость заставляет меня двигаться вперед. Без нее я бы погибла».

Злость может быть полезной движущей силой, но так же легко она может стать деструктивной, причиняя больше зла, чем добра. Часто мы впадаем в крайности: либо пытаемся подавить злость, делая вид, что ее и не было, либо полностью открываем ей путь. Вы можете довести себя до предела или спокойно подумать, как вы выражаете свою злость. Хотя в это иногда трудно поверить, но выбор у вас есть.

На практике

Если дела идут плохо — не ходи с ними.

Роджер Бэбсон, финансист

Если злость мешает вам мыслить ясно, нужно усмирить свои страсти настолько, чтобы не поддаваться им и задействовать рациональную часть своего мозга.

Научитесь распознавать физические признаки злости. Возможно, вы повышаете голос, чаще дышите, тело напрягается. Возможно, вы сжимаете челюсти и чувствуете стук сердца в ушах.

Сделайте несколько глубоких вдохов. Медленное, сосредоточенное дыхание понизит ваше сердцебиение. Пару минут считайте до трех на каждом вдохе и до пяти — на каждом выдохе. Это также позволит привлечь рациональную часть вашего мозга. Просто думайте только о счете, пока дыхание не поможет вам включить логическое мышление.

Злость — это энергия.

Джон Лайдон, рок-музыкант и автор песен

Выпустите пар. Отойдите в сторону, идите куда-нибудь, чтобы успокоиться. Пробегитесь или быстро походите, примите душ или ванну, включите громкую рок-музыку или покричите там, где этого никто не услышит. Избейте матрас или подушку. Делайте все, что может вам помочь.

Решите, чего вы хотите и чего не хотите. Когда вы достаточно успокоитесь, чтобы включить мозг, вы можете использовать свою злость конструктивно. Подумайте о возможных решениях — чего бы вы хотели в дальнейшем? Что вы будете делать, если не получите желаемого? Представьте последствия решения, обдумайте альтернативные пути, но не угрозы и наказания.

ВИНА

Вина для души — то же самое, что боль для тела.

Преподобный Дэвид А. Беднар

Вина принимает любые формы и размеры. Вы можете чувствовать вину не только за то, что сделали или не сделали, но даже за свои мысли, если, например, пожелали кому-то боли, несчастья или даже смерти. Вы можете чувствовать вину за злость или ревность, которые считаете напрасными, а иногда даже за свое счастье. Возможно, вы чувствовали вину за свою черствость, к примеру не отвечая взаимностью на чью-то любовь или не испытывая горя от смерти близкого.

Вина может быть реальной и воображаемой. Реальная вина — это вина за ваш действительный проступок, за который вы должны нести ответственность. У такой вины может быть положительное значение — она способна побудить вас загладить его. Однако не позволяйте себе погрязнуть в вине или слишком стараться загладить свой проступок.

Воображаемая вина — это вина, которую вы чувствуете за то, что вам неподвластно и чего вы не можете контролировать. И все же вы почему-то чувствуете себя виноватыми. Воображаемая вина может вырасти из ощущения ответственности за чувства, поведение и благосостояние других людей, из желания быть лучше кого-то, из понимания того, что вы недостаточно помогаете другим, или из-за того, что вы пережили то, чего не довелось испытать другим людям.

На практике

Вина для вас полезна, позвольте ей длиться не более пяти минут, и она привнесет изменения в ваше поведение.

Неизвестный автор

Определите, какую вину вы ощущаете — реальную или воображаемую? Например, если вы чувствуете себя виноватым из-за того, что плохо отзывались о коллеге и теперь повышение с большей вероятностью получите вы, а не он, ваша вина вполне реальна. Однако если вы в любом случае получили бы повышение как более квалифицированный и опытный специалист и при этом все равно чувствуете себя виноватым, тогда ваша вина воображаемая.

Реальной виной можно управлять. Не преувеличивая и не преуменьшая того, что случилось, подумайте, чтó вы сделали неправильно и каким образом задели чувства других людей. Определите степень своей ответственности. Возможно, что-то вы могли сделать по-другому, но, может быть, вы вовсе не должны отвечать за все. Переоценивание своей ответственности может заставить вас ощущать вину дольше, чем необходимо.

Извинитесь. Попросите прощения. Попытайтесь избежать осуждения того, что вы сделали, или акцента на тех деталях ситуации, за которые вы не можете отвечать. Не усложняйте все лишними объяснениями или попытками вспомнить подробности ситуации.

Важно, чтобы и вы, и тот, перед кем вы извиняетесь, понимали, что вы признаете причиненный ущерб и по возможности готовы его возместить. Постарайтесь сделать это быстро, но не как попало, лишь бы приглушить голос своей вины.

Как справиться с воображаемой виной. Если ваша вина на самом деле является воображаемой, поймите: то, что вы обвиняете себя за ошибку или происшествие, которое не можете контролировать, означает лишь, что вы чем-то огорчены, опечалены и даже злитесь на самого себя. Вы просто перенаправляете эти чувства на ситуации и события, лежащие вне зоны вашей ответственности.

ЗАЕДАНИЕ И ЗАПИВАНИЕ ЭМОЦИЙ

Физический голод идет от желудка. Эмоциональный голод идет от головы.

Неизвестный автор

Заедание эмоций — это потребность в еде (обычно «успокаивающей» или вредной), вызванная не физическим ощущением голода, а эмоциями. Многие из нас хватаются за еду, когда испытывают трудные чувства. Это понятно: еда помогает быстро справиться с эмоциями. Вам не нравится быть грустным, встревоженным, скучным, злым или виноватым, поэтому хочется шоколада, пирожного или чипсов, чтобы поскорее успокоиться или отвлечься.

Мы очень часто прибегаем к еде или питью, чтобы почувствовать себя лучше и в большей безопасности. Еда может восприниматься как друг. Но «успокаивающая» пища только заталкивает эмоции в глубину, где они так и остаются необработанными. Это дает краткосрочное облегчение, и вы по-прежнему тревожитесь, скучаете, злитесь, мучаетесь виной, грустите или огорчаетесь.

(В немецком языке людей, набравших лишний вес из-за заедания эмоций, называют *Kummerspeck*, что буквально переводится как «печальный бекон».)

Заедание эмоций часто ведет к ощущению вины. Вы знаете, что делать этого не стоит. Плохо не только то, что вы едите, вы еще и чувствуете себя плохо. Получается замкнутый круг.

Случайные проявления заедания эмоций — это нормально, но они могут превратиться в привычку, которая помешает вам эффективно решать эмоциональные проблемы и сейчас, и в будущем. Не умея конструктивно управлять своими чувствами, вы, скорее всего, не только будете заедать эмоции, но и пристраститесь к другим вредным привычкам — алкоголю, курению и наркотикам.

На практике

Какой бы ни была проблема, ее решение не лежит в холодильнике.

Неизвестный автор

Определите свои триггеры. Выясните, какие ситуации, места или чувства заставляют вас успокаиваться едой. Это будет для вас первым шагом к управлению заеданием эмоций.

Обращайте внимание на то, что и где вы едите. Эмоциональный голод часто ведет к бессмысленному поеданию пищи. Если вы об этом не знаете, то съедите целую упаковку печенья, даже не заметив. Уже потянувшись за едой, задержитесь на мгновение и спросите себя, какие чувства вы испытываете и что именно ощущаете. Обращайте внимание на то, какие мысли у вас возникают в этот момент и как реагирует организм. Даже если все кончится перекусом, вы будете лучше понимать, почему делаете это, и, возможно, в следующий раз среагируете по-другому.

Попытайтесь ускользнуть от своего побуждения. Когда возникает желание поесть, это единственное, о чем вы можете думать. Попытайтесь от него ускользнуть. Представьте свое желание как океанскую волну. Она поднимается все выше и выше, но вскоре разобьется о берег и откатится назад. Представьте, что вы скользите по этой волне, не боретесь с ней, но и не сдаетесь. Знайте, что пристрастие к еде непостоянно, оно приходит и уходит, как волны.

Не провоцируйте заедание эмоций. Не допускайте голода или чрезмерной усталости. Когда вы очень хотите есть или падаете с ног, вам нелегко бороться со страстными желаниями и побуждениями.

Научитесь отвечать на свои эмоциональные потребности не только едой. Найдите другие способы вознаградить и успокоить себя, кроме пищи (алкоголя или наркотиков). Разумеется, они будут не столь эффективны, как еда. Но горячий душ, хорошая книга или фильм, йога, пробежка или прогулка, разговор с другом по душам окажутся гораздо полезнее для вашего состояния.

КРИТИКА

У большинства из нас одна и та же проблема: мы лучше погибнем от восхищения, чем примем спасение от критики.

Норман Винсент Пил, писатель и богослов

Как вы реагируете на критику? Если вы относитесь к большинству, то, скорее всего, стремитесь отплатить той же монетой, или защищаетесь, или вжимаете голову в плечи и теряете дар речи. Но есть и другой вариант — принять критику и попытаться извлечь из нее урок.

В 2015 году Питер Уэллс, ресторанный критик *The New York Times*, опубликовал жесткую критическую статью о нью-йоркском ресторане Per Se знаменитого Томаса Келлера. Уэллс писал, что еда была «в лучшем случае сносная и скучная, а в худшем — разочаровывала своей плоскостью». Он назвал блюда «непродуманными», «бессмысленными», «резиновыми» и «безвкусными». Как на это ответил Келлер? В открытом письме к посетителям ресторана он признал свою ответственность, извинился и пообещал улучшить ситуацию, заявив: «Мы верим, что можем лучше работать ради самих себя, ради нашей профессии и, что важнее, ради наших гостей».

Конечно, не очень-то приятно слышать от других, что вы не работаете, не выглядите, не разговариваете или не ведете себя так, как, по их мнению, должны. Часто критика окружающих бывает несправедливой и даже оскорбительной. Тем не менее честная критика касается поведения, которое можно улучшить.

Критика открывает вам опыт и точку зрения других людей, позволяя увидеть, каким вы предстаете в их глазах.

Конечно, эти их мнения могут быть неверными, а сами они — жестокими и любящими все преувеличивать (особенно тогда, когда они огорчены, раздражены или разозлены), но в их критике могут быть зерна истины.

На практике

Пусть я никогда не совершу вульгарную ошибку, думая, что меня подвергают гонениям, тогда как мне просто возражают.

Ральф Уолдо Эмерсон

Вспомните случай, когда вас критиковали. В чем вас обвиняли? Можете ли вы кратко сформулировать содержание критики? Если говорить честно, не видите ли вы сейчас в ней доли правды? Не были ли вы, например, грубы или ненадежны, неаккуратны или эгоистичны? Не сказали ли вы тому, кто вас критиковал, что-нибудь действительно злое или бестактное?

В следующий раз, когда кто-нибудь начнет вас критиковать, слушайте внимательно. Представьте, что кто-нибудь вам говорит: «Вы всегда опаздываете. Почему вы не предупреждаете об этом по телефону или как-то иначе? Вы никогда не думаете, что люди вас ждут, не зная, когда вы появитесь и появитесь ли вообще. Вы эгоист». Может, это правда?

Даже если все это говорится в резкой форме, у вас есть выбор: огорчиться и поддаться эмоциям или отодвинуть их в сторону и попытаться извлечь урок из критики.

Ищите решение. Не преуменьшайте проблему. Не отмахивайтесь от нее, не обвиняйте других и не ищите оправданий. Если вам этого не сказали, то спросите того, кто вас критикует, что он советует сделать для улучшения ситуации. (Однако вы не обязаны соглашаться с его решением.)

Вы можете признавать или не признавать критику, вы можете соглашаться или не соглашаться с предложенным решением проблемы. В любом случае спросите себя: «Что я могу узнать, взглянув на себя глазами этого человека?»

Если вы действительно считаете критику несправедливой и необоснованной, заявите об этом. Спокойно скажите другому человеку, что вы понимаете его точку зрения, и объясните, почему его критика несправедлива. Или не говорите ничего и просто отпустите эту ситуацию. Скорее всего, мнение у этого человека уже сложилось, и если вы попытаетесь спорить, то лишь подольете масла в огонь.

ГЛАВА 3

РАЗВИТИЕ ЭМОЦИОНАЛЬНОГО ИНТЕЛЛЕКТА

ПОЗИТИВНОЕ МЫШЛЕНИЕ

Позитивное мышление — это не просто чувство, которое возникает тогда, когда в жизни происходит что-нибудь хорошее, — в такие моменты легко чувствовать себя оптимистом. Оно связано со способностью поддерживать в себе надежду и заинтересованность, что бы ни происходило.

Сью Хэдфилд, преподаватель и писатель

Позитивное мышление — это главная часть эмоционального интеллекта. Почему? Потому что эмоциональный интеллект связан с управлением эмоциями и ситуациями в позитивном, оптимистичном, конструктивном ключе, а также с осознанием положительного значения любой эмоции.

Напротив, негативное мышление связано с негативной интерпретацией событий и эмоций. Оно сосредоточено на трудных аспектах эмоций и ситуаций и часто застревает на них.

Например, представьте себе, что вы обещали коллеге закончить доклад для презентации, запланированной на следующий день. Вернувшись домой, вы поняли, что забыли это сделать. Вы расстроились, чувствуя себя виноватым. Вы говорите себе, что безнадежны. Вместо того чтобы признать ошибку и подумать о том, что можно предпринять для ее исправления, вы тонете в море негативных мыслей, самообвинения и упреков: «Почему я забыл это сделать? Она должна была напомнить мне еще раз. Почему я всегда должен делать всю работу, которая сваливается на меня в последнюю минуту?»

Если поддаться негативному мышлению, которое всегда приходит вместе с ошибками, трудностями и разочарованиями, то можно лишь затруднить себе движение вперед. Но, владея эмоциональным интеллектом, вы сумеете признать трудности, а затем позитивно и конструктивно отреагировать на них.

На практике

Вещи поворачиваются своей лучшей стороной к тем людям, которые извлекают лучшее из того, как поворачиваются вещи.

Джон Вуден, тренер по баскетболу

Старайтесь лучше понимать то, как вы мыслите. Чаще всего мы просто не замечаем своих негативных мыслей. Вспомните о том, о чем вам часто доводилось переживать: о том, какая волокита начиналась у вас при планировании путешествий, о коллегах, клиентах или родственниках, с которыми вам трудно ладить, об определенных обязанностях или о том, что вы не любите делать. Какие негативные мысли приходят вам в голову?

Спросите себя: «А что такое позитивное мышление?» Теперь, узнав больше о негативных мыслях, вы можете выбрать: продолжать цепляться за них или перейти к позитивным мыслям, подбадривающим и дающим силы. Скажем, вы поймали себя на мысли: «Я уже по горло сыт этим холодом и дождями. В июле! Будет у нас вообще когда-нибудь нормальное лето?!» Конечно, для этой жалобы есть основания. Что может быть конструктивного в этой мысли? Она способна побудить вас приобрести дешевый тур в какое-нибудь солнечное место где-нибудь в сентябре, и таким образом у вас появится что-то, чего стоит ждать. Это уже хорошо. А в бесконечных жалобах на плохую погоду ничего хорошего нет.

Добавляйте слово «но». Как только вы поймаете себя на негативной мысли, добавьте к ней слово «но». Это подтолкнет вас к тому, чтобы закончить позитивным предложением: «...но у нас еще осталась пара месяцев лета — хватит времени насладиться теплой погодой», «...но завтра я могу прийти на работу утром пораньше и закончить доклад». Представьте себе положительный результат, сосредоточьтесь на том, что вы можете сделать и что контролируете.

ИЗМЕНЕНИЯ

Выживает не сильнейший представитель вида, не самый умный, а тот, кто лучше всех приспосабливается к изменениям.

Чарльз Дарвин

Смена сезонов, смена погоды, смена температуры, изменение цен и процентной ставки — каждый день нас сопровождает множество изменений, и мы с ходу реагируем на них. Но есть много ситуаций и на работе, и в личной жизни, которые нарушают размеренное течение нашей жизни, например кадровые перестановки, изменения в политике компании, сокращение штатов, переезд на новое место, уход из дома выросших детей, задержка или отмена авиарейса.

Очень часто нам бывает трудно приспособиться к изменившимся обстоятельствам. Изменения — неопределенные, неожиданные или непредсказуемые ситуации — часто приносят с собой целый ряд неприятных эмоций: тревогу, беспокойство, замешательство, неуверенность, обиду и страх.

Эмоциональный интеллект предполагает понимание эмоций, связанных с изменениями, и управление ими. Важны не сами перемены, а то, как вы на них реагируете.

Эмоциональный интеллект помогает эффективно реагировать на изменения; он побуждает вас признавать и принимать неуверенность, оставаясь при этом открытым для всего нового — изучения новых технологий и методов работы, обучения взаимодействию с новыми людьми, — то есть помогает адаптироваться в меняющихся условиях и приспосабливаться к новым ролям и обязанностям.

На практике

Если вам что-либо не нравится, измените это; если не можете изменить, то измените свое отношение к этому.

Мэри Энгельбрайт, иллюстратор, дизайнер и декоратор

Составьте список всех отрицательных ощущений, таких как неуверенность, которые, по вашему мнению, связаны с переменами. Важно признавать негативные аспекты, не подавлять и не отрицать трудные задачи и непростые эмоции, которые приносят с собой изменения. Затем составьте список всех положительных вещей, таких как новые возможности. Какие чувства связаны с этими позитивными мыслями?

Тренируйтесь в изменениях. Изменения не так сложны, как вам кажется. Нужно избавиться от мысли о том, что это трудно! Делая что-то новое, легче избавиться от старых путей и создать новые модели поведения, которые будут повторяться. Вы легко можете в этом убедиться на простом опыте — переставьте часы или корзину для бумаг на другое место. Посмотрите, сколько времени у вас уйдет на то, чтобы перестать смотреть туда, где часы стояли раньше, или больше не бросать мусор на пол.

Старайтесь развить гибкость и приспособиться к изменениям. Чаще нарушайте рутинный ход вещей — это очень эффективный способ приспособиться к неизбежным изменениям в жизни. Что вы можете сделать? К примеру, вы можете выбрать другую дорогу от работы до дома вместо прежней. Вы можете регулярно готовить блюда по новым рецептам, или слушать разные радиопрограммы, или переключиться с уже привычной мыльной оперы на другую.

Делайте разные вещи, чтобы получать разные результаты. Что нового вы можете сделать? Начните прямо сегодня. Привыкайте быть гибкими и способными к изменениям. Помните, что каждый раз, когда вам удается к чему-то приспособиться, вы создаете для себя новые возможности, не зависящие от идеальных условий.

СМЕЛОСТЬ

Смелость – это не отсутствие страха, это, скорее, осознание того, что есть что-то важнее страха.

Амброуз Редмун, писатель

Смелость — это не значит, что вы никогда ничего не боитесь. Смелость — это преодоление своего страха. Страх и смелость всегда рядом. Каждый раз, проявляя смелость, вы побеждаете страх. Для того чтобы победить страх, вам нужна смелость. Смелость — это сила перед лицом страха.

Мы боимся что-то сделать, поскольку предполагаем, что произойдет что-то неприятное. Но очень часто попытки избежать страхов только делают их более сильными и пугающими. Вы можете потратить больше времени и сил на то, чтобы избежать страхов, чем на то, чтобы встретиться с ними лицом к лицу и их преодолеть. Смелость нужна для того, чтобы что-либо сделать, сказать или почувствовать, например, такие эмоции, как грусть, зависть, разочарование, злость. Если вы сможете принять страхи, то позвольте им информировать вас о том, к чему вам следует подготовиться, а затем проработайте их.

Люди, которыми мы восхищаемся, вовсе не являются бесстрашными. Они храбры, они умеют прислушиваться к своим страхам, а потом преодолевать их. У них есть смелость отстаивать свои взгляды, они действуют в соответствии со своими убеждениями, несмотря на собственные страхи и, что особенно важно, несмотря на возражения и неодобрение других людей.

Вы можете сделать то же самое. Вы можете проявить смелость — в один короткий, но значимый миг повести себя в соответствии со своими убеждениями, верованиями, намерениями и сделать то, что считаете правильным.

На практике

Иногда самое большое проявление смелости — это самое маленькое.

Лорен Раффо

Сосредоточьтесь на положительных моментах. Подумайте о выгодах, которые принесет вам смелый поступок, — чего вы достигнете и как хорошо будете себя чувствовать. Понимание, почему вы хотите что-либо сделать, может поднять ваш дух и дать вам мотивацию, необходимую для первого шага.

Планируйте, что собираетесь сделать или сказать. Обдумайте в общих чертах, не вдаваясь в детали, что вам необходимо сделать и какие шаги предпринять. Представьте себе, что вы все сделали успешно, и проговорите это.

Не передумывайте. Чем больше вы размышляете, стоит или нет что-то делать, и чем дольше ищете оправдания своему намерению это отложить, тем больше времени вы будете бояться.

Смелость может вся вытечь по капле, как вода из неисправного крана, поэтому, чем больше вы выжидаете, тем меньше смелости у вас остается. Как только вы решите что-то сделать, например поговорить с начальником о проблемах на работе, вступить в конфликт с шумными соседями или поймать паука, не медлите — действуйте! Не старайтесь быть совсем бесстрашным, просто ведите себя как храбрый и уверенный в себе человек.

Сосредоточьтесь на первом шаге. Обдумывая свои шаги, сосредоточьтесь на самом первом из них, например на начальной фразе: «Нам надо поговорить», вместо того чтобы беспокоиться о том, как пойдет разговор. Очень часто сделать первый шаг — это наполовину выиграть сражение, поэтому, решаясь на него, мы создаем инерцию, которая все двинет вперед и поможет со всем справиться.

Укрепляйте свою смелость, делайте что-либо немного страшное. Составьте список из пяти пунктов, указав в каждом из них то, что заставляет вас чувствовать себя неуютно. Это могут быть и действия, которые вы никогда раньше не предпринимали, и место, где вы никогда не бывали. Или откровенное высказывание всего наболевшего. Рассматривайте одну позицию за раз — ощущайте свой страх, а потом преодолевайте его.

ДЕРЖИТЕ РАЗУМ ОТКРЫТЫМ — ОСТАВАЙТЕСЬ ЛЮБОПЫТНЫМ

Мы видим вещи не такими, какими они являются, мы видим вещи такими, какими являемся мы.

Анаис Нин, писательница

Все знают, что дети очень любопытны. Они интересуются всем, что происходит в мире вокруг них, и задают множество вопросов: «Почему небо голубое?», «Почему луна не падает?», «Как мне узнать, что я настоящий, а не снюсь кому-нибудь?», «Почему у меня два глаза, если я вижу только одну вещь?».

Их энтузиазм и любопытство кажутся бесконечными, но большинство из нас, вырастая, почему-то перестают чем-либо интересоваться.

А нам нужно быть более любопытными!

Быть любопытным означает стремиться к обучению и познанию. Любопытство позволяет изменить свое мнение о мире и свою точку зрения на него.

Когда вы любопытны, ваш разум открыт для новых идей и перспектив. Именно любопытный разум заглядывает в глубины земли и океана, открывая новые миры и возможности. Любопытные люди задают вопросы и ищут ответы в своем собственном разуме и в разуме других.

Чаще всего мы смотрим на все только со своей точки зрения, но можем научиться понимать одно и то же по-разному.

И конечно, попытка понять точку зрения других людей — это важная часть развития одной из самых главных составляющих эмоционального интеллекта — сопереживания.

На практике

Пусть лучше мой разум будет открыт сомнению, чем ограничен убежденностью.

Джерри Спенс, адвокат и писатель

Будьте любопытными. В самых разных ситуациях спрашивайте, как, почему, что и когда. Как могут вещи отличаться или как может считаться, что они отличаются? Интересуйтесь другими людьми и узнавайте о них. Не устраивайте допрос, но спрашивайте: «Как вы думаете? Почему? Как вы чувствуете себя из-за этого? Почему?» и просите рассказать вам обо всем подробнее.

Делайте что-то новое. Начните говорить «да» новому опыту. Если друг приглашает вас в пеший поход, соглашайтесь. Займитесь благотворительностью, бегайте или катайтесь на велосипеде. Сделайте что-то привычное вам по-другому. Если вы занимаетесь йогой, попробуйте другой ее тип: хатха-йогу, хот-йогу или йогу Айенгара.

Больше читайте. Читайте автобиографии, журналы, газеты и блоги, написанные людьми с различными точками зрения, например с разным мнением о политике или религии. Ознакомьтесь с аргументами другой стороны, чтобы узнать нечто иное.

Вступите в книжный клуб. Он может открыть для вас широкое разнообразие литературы и различных мнений. Прочитав книгу, ознакомьтесь с отзывами на нее на Amazon. Отличаются ли мнения других людей о книге от вашего?

Что бы сделала Бейонсе? Подумайте о том, как в вашей ситуации могли бы поступить певица Бейонсе, футболист Дэвид Бэкхем, ваш лучший друг, ваш начальник, ваш брат или ваша сестра — кто-то, кто точно отличается от вас.

Станьте волонтером. В свободное время поработайте с людьми, чья жизнь кардинально отличается от вашей, — с пожилыми людьми, неблагополучными детьми, бездомными, беженцами и мигрантами.

Держите разум открытым. Будьте готовы учиться, разучиваться и переучиваться. Некоторые вещи, о которых вы, как вам кажется, знаете все, могут иметь совершенно иное объяснение, и вы должны быть готовы принять эту вероятность и изменить свое мнение.

ТЕРПЕНИЕ

Терпение — это не умение ждать, а умение действовать, пока ждешь.

Джойс Майер, писательница и телепроповедница

Чаще всего у нас есть множество причин для нетерпения. Очередь движется с черепашьей скоростью. Или вы *все еще* ждете, пока кто-нибудь пришлет необходимую вам информацию, ответит на письмо или закончит свою обширную презентацию. А ваши дети — им целая вечность нужна, чтобы собраться!

Что бы это ни было, вы можете почувствовать, что начинаете тревожиться, волноваться и злиться. Мы испытываем нетерпение, поняв, что то, чтó нам необходимо или чего мы хотим, займет больше времени, чем хотелось бы, и тогда начинаем искать тех, кого можно в этом обвинить, или думать, как поторопить дело.

Демонстрация раздражения, помогающая снять причины этого раздражения и добиться выполнения дела, — это хорошо, но при отсутствии враждебного тона. Иначе вы заставите окружающих защищаться. Нетерпение начинает работать против вас, когда вы испытываете такой стресс, что не можете мыслить ясно, не можете решить, где стоит подождать, а где — попытаться ускорить процесс, изменить направление движения или вообще сдаться.

В то же время терпение позволяет вам сделать шаг назад, чтобы спокойно поразмыслить в раздражающих обстоятельствах, оставаться спокойным, сосредоточенным и ничего не делать впопыхах из-за тревоги или раздражения. Терпение дает вам силы ждать и наблюдать, чтобы знать, когда начинать действовать.

На практике

У детей вы можете научиться многому — например, узнать, сколько у вас терпения.

Франклин Джонс, журналист и юморист

Учитесь опознавать физические ощущения — напряжение, беспокойство и тревогу, которые появляются у вас вместе с мыслями о том, что кто-то слишком медлит. Вы можете почувствовать, как становитесь возбужденным, раздраженным и выходите из равновесия?

Перестаньте подпитывать свое нетерпение мыслями о том, как плохо и медленно все идет. Лучше скажите себе: «Это несколько неудобно, но терпимо. Я вполне могу с этим справиться». Если потребуется все ускорить, вам нужно будет сохранять ясность мысли, чтобы придумать возможные варианты действий.

Тренируйте терпение. Найдите длинную, медленно двигающуюся очередь и встаньте в нее. Для этой цели подойдут и дорожная пробка, и супермаркет, и банк, и почтовое отделение. Вместо того чтобы раздражаться, говорите себе: «Я буду спокойно ждать». Оглянитесь вокруг, рассмотрите все, что находится около вас, понаблюдайте. Ведите себя так, как будто вы спокойны. Если казаться терпеливым, то часто можно и почувствовать себя таковым.

Занимайте себя, когда приходится ждать. Будь это очередь, задержка рейса или люди, которые опаздывают, учитесь чем-то занимать свой мозг, когда приходится ждать. Если вы сумеете отвлечься — чем-то заполнить время, — то в некоторой степени почувствуете контроль над ситуацией. Читайте. Пишите SMS или звоните другу. Слушайте музыку или радиопрограммы.

Будьте терпеливы к другим. Есть люди, которые от природы все делают или говорят медленнее, чем вы. Напоминайте себе, что ваше нетерпение вряд ли заставит их поторопиться, но зато помешает им ясно мыслить и действовать быстро и компетентно. Своим нетерпением вы создаете для них стресс.

СИЛА ВОЛИ

Первый шаг к тому, чтобы стать кем-то, — это пожелать этого.
Мать Тереза

Сила воли связана с вашей способностью делать намеченное, даже если вам это не нравится. Сила воли соединяется с мотивацией. Быть мотивированным означает иметь причины хотеть что-то сделать. Сила воли позволяет вам следовать своей цели. Например, вы хотите похудеть или бросить курить, потому что это полезно для здоровья. Сила воли заставляет вас делать это вопреки искушениям, встречающимся на вашем пути.

У всех нас есть хорошие намерения — поправить здоровье, отказаться от вредной еды, сохранять спокойствие, когда нас провоцируют. Это всего несколько целей, для достижения которых нам, возможно, потребуется сила воли. Но если вы относитесь к большинству, то вам приходится прилагать большие усилия для достижения своих целей, поэтому вы капитулируете или поддаетесь искушениям. И так вы теряете и силу, и волю!

Как это происходит?

И ваши хорошие намерения, и воля исходят из рациональной, мыслящей части вашего мозга — той, которая думает, что́ для вас может быть хорошо. Но когда начинают преобладать эмоции, подавленность и раздражение вопреки намерениям могут убедить вас, что сдаться куда проще.

Воспитание в себе силы воли позволит вам воплощать благие намерения в жизнь, помогая преодолеть импульсивное поведение, которое их подрывает. Другими словами, сила воли помогает вам сделать себя лучше!

На практике

Импульсивность может быть очаровательной,
но осмотрительность тоже может быть привлекательной.

Сара Дессен, писательница

Осознавайте и понимайте свои эмоции. Когда вы чувствуете, что хотите поддаться или сдаться, спросите себя: «Что я сейчас чувствую? Я подавлен? Раздражен? Обижен? Нетерпелив?» Сила воли подразумевает внутреннюю борьбу за контроль. Вместо того чтобы бороться со своими чувствами, признайте и примите их. Потом напомните себе о том, почему вы хотите что-либо сделать.

Оседлайте свое побуждение. Когда приходит желание поддаться искушению, вы можете думать только о нем. Попытайтесь совладать с ним. Представьте себе побуждение как океанскую волну. Представьте, что вы скользите по этой волне, не боретесь с ней, но и не сдаетесь на ее милость. И если вам удастся оседлать свое побуждение, проанализируйте то, как вы это сделали, чтобы вы могли гордиться собой благодаря победе в этой маленькой битве.

Отвлекайте себя, стараясь не думать о том, что побуждает вас поддаться. Перенаправляйте свое внимание, сосредоточьтесь на дыхании, сделайте несколько простых упражнений или прогуляйтесь. Почитайте, что-нибудь посмотрите или поиграйте в компьютерную игру. Приготовьтесь заранее; для борьбы с искушениями держите то, что точно может вас отвлечь, под рукой.

Чем сильнее ваш разум и тело привязываются к другим действиям, тем реже ваш мозг возвращается к мысли о том, чтобы капитулировать или поддаться искушению.

Составьте план на те случаи, когда вам не хватит силы воли. Например, если вы решили меньше пить, не планируйте встречу с друзьями в баре в те дни, когда на работе могут быть трудности.

РЕШЕНИЯ

Я принимаю свои собственные решения и беру на себя всю ответственность за них.

Канье Уэст, рэпер

Делая выбор, вы знаете, что поступаете правильно, но не будете ли вы сожалеть о своем решении в случае неудачи? Все очень просто. Вы не можете точно знать, что принесет ваше решение.

Собираетесь ли вы поесть мексиканскую еду или индийскую, держаться за эту работу или поискать новую, высказать кому-то, что вы действительно о нем думаете, или промолчать, оплатить несправедливый штраф за неправильную парковку или оспорить его, — чаще всего ваши инстинкты и эмоции подталкивают вас в одну сторону, а рациональное мышление, требующее рассмотреть все за и против и подумать о последствиях решения, — в другую.

Если вы последуете за своими чувствами, то будете думать, что из-за своего импульсивного поведения могли упустить «лучший» вариант. А слишком тщательное размышление может привести к замешательству, не позволив выбрать тот путь, который вам кажется правильным.

Очень нелегко исключить эмоции из процесса принятия решений, да и не стоит это делать. Принятие решений требует участия и эмоциональной, и мыслительной составляющих. Ключ к принятию надежных решений — в соблюдении баланса между эмоциональными и умственными реакциями.

На практике

Когда вы знаете, что́ для вас имеет значение, принимать решения вовсе не сложно.

Рой Дисней, предприниматель и кинопродюсер

Осознавайте влияние эмоций на свой выбор. Такие эмоции, как гордость, вина, обида, злость, радость, облегчение и любовь, могут способствовать принятию решений, но могут ему и препятствовать. Старайтесь обращать больше внимания на эмоциональные триггеры — те обстоятельства и события, которые могут вызвать сильную реакцию и подтолкнуть вас к решению, о котором позже вы можете пожалеть. Это вовсе не проявление эмоционального интеллекта, когда эмоции, вызванные, например, долгой, раздражающей поездкой на работу, сказались на ваших профессиональных решениях. Если вы ощущаете что-то, совершенно не связанное с предстоящим решением, постарайтесь пока отложить его. Обращайте внимание только на те чувства, которые непосредственно относятся к будущему решению.

Думайте головой. В любой ситуации определяйте, что важно и чего вы стремитесь достичь. Это поможет вам сосредоточиться и сузит выбор так, чтобы вы обращали внимание только на относящиеся к делу факторы.

Доверяйте своей интуиции. Когда вы явно ощущаете, что один из вариантов правильный, знайте, что это свидетельствует о соответствии данного решения вашим целям и ценностям.

Принимайте неуверенность и делайте выбор, даже, возможно, чего-то не зная. Когда вы чувствуете себя неуверенно, знайте, что нет «правильных» и «неправильных» решений. Лучше спросите себя: «Что самое худшее может случиться? Как я могу с этим справиться?» По возможности разработайте запасной план действий и помните, что если все пойдет не так, то вы сможете с этим справиться.

Отвечайте за свои решения. Выбрали вы этот ресторан или тот, эту работу и карьеру или ту, если вас постигнет неудача, принимайте ответственность на себя. Не упивайтесь виной, сожалениями или обвинениями. Лучше вспомните, чему вы научились в этой ситуации. Возможно, вам это пригодится, когда вы в следующий раз будете принимать подобное решение.

ПРИНЯТИЕ

Господи, дай мне смирения — принять то, чего я не могу изменить, смелости — изменить то, что я могу изменить, и мудрости, чтобы отличить одно от другого.

Рейнгольд Нибур, теолог

Пловцы, которых подхватывает и уносит в море бурное течение, часто паникуют и пытаются плыть против течения. Обычно они быстро устают, конечности сводят судороги, и люди тонут. В такой ситуации пловцам советуют не сопротивляться и принять происходящее, позволив течению вынести себя в открытое море. Через несколько сотен метров течение ослабнет, и пловец сможет его обогнуть и вернуться на берег.

То же самое происходит и с эмоциями: нелегко справиться с трудными ситуациями и чувствами, которые бросают вам вызов, но сопротивляться им бесполезно: это очень быстро заведет вас в никуда.

В рамках эмоционального интеллекта принятие означает просто понимание того, что с вами происходит, без попыток сопротивления этим чувствам или управления ими. Это не означает, что вы не должны обращать внимания на свои чувства, вы вовсе не обязаны с чем-то примиряться или сдаваться. Принятие означает осознание того, что в данный момент вы чувствуете раздражение, разочарование, смущение или что-то еще.

Принятие позволяет вам понять, что каждый раз, когда вы отрицаете свою эмоцию или сопротивляетесь ей, это похоже на то, как пловец сопротивляется течению: вы тратите время и энергию, которые могли бы употребить более конструктивным способом.

На практике

Когда мы принимаем свои границы, мы выходим за их пределы.

Альберт Эйнштейн

Начните с принятия своих чувств в мелочах. Например, с раздражения из-за сбежавшего молока, когда вы только отвернулись за чашкой, разочарования из-за отмены телевизионной программы, зависти к планам друга на отпуск. Вместо того чтобы осуждать себя или подавлять свои чувства, признайте то, что произошло, и то, что вы ощущаете в связи с этим. Если вы сможете признавать и принимать свои эмоции, вызванные мелкими происшествиями в повседневной жизни, то будете лучше готовы к столкновению с сильными чувствами, порождаемыми упущенными возможностями, неожиданными изменениями в планах или серьезным раздражением.

Позвольте себе чувствовать раздражение, огорчение и т. д. из-за того, что произошло. Возможно, вы так огорчаетесь и злитесь из-за коллеги, который над вами издевается, бывшего партнера, который вас преследует, или родителя, который вами манипулирует, что желаете им всем провалиться сквозь землю. Если потом вы чувствуете вину за свои убийственные мысли, ненависть и злобу, то помимо злости получите дополнительную боль в виде вины.

Если вы будете избегать своих чувств или отрицать их, это тоже не поможет: вы попадете в ловушку и будете вынуждены постоянно следить за чувствами, которые пытаетесь игнорировать.

Вместо того чтобы тратить силы на отстранение от эмоций или на то, чтобы переживать из-за них, вы даете себе шанс научиться управлять своими чувствами, принимая огорчение и злость, когда хотите испытать эти эмоции и подумать над ними.

Каждый раз, принимая и испытывая определенное чувство, вы узнаете, что это гораздо легче и требует гораздо меньше энергии, чем постоянные — и обычно безуспешные — попытки убежать от него. Когда вы осознаете свое чувство, примете его и разрешите себе его ощутить, позвольте этому чувству донести до вас скрытую в нем положительную, конструктивную информацию.

ГРАНИЦЫ И ПРЕДЕЛЫ

Зарубите себе на носу — вы не несете ответственности за счастье других людей.

Брайант Макгилл, писатель и социальный предприниматель

Границы устанавливаем мы сами. Физические границы связаны с личным пространством, с тем, насколько близко мы подходим к другому человеку, пожимаем ли мы руки, обнимаемся или нет.

Эмоциональные границы — это пределы наших эмоциональных способностей в отношении эмоциональных потребностей и правил других людей. Установка эмоциональных границ связана с тем, что вы принимаете на себя ответственность только за свои собственные действия и эмоции, а не за чужие. Эмоциональные границы не дают вам ощущать себя виноватым в чьих-то чувствах и проблемах. Они помогают вам избежать, например, стремления спасать кого-то от разочарования, гасить чей-то гнев и делать кого-то счастливым.

Эмоциональные границы защищают вас от эмоциональных ловушек других людей и манипулирования вами.

Установка и поддержание эмоциональных границ не означают, что вы должны отключить сопереживание. Вы по-прежнему можете представлять и понимать, что чувствует другой человек, но не должны брать на себя ответственность за это, чтобы не становиться эмоциональным спасателем и не освобождать людей от их чувств.

Однако здоровые эмоциональные границы отличаются достаточной гибкостью. Они позволяют вам чувствовать себя эмоционально вовлеченным, когда это уместно, и отступать, сохраняя дистанцию, когда чувствуется, что другой человек должен взять на себя ответственность за свои собственные эмоции.

На практике

Вы формируете у людей отношение к себе тем, что позволяете, тем, что пресекаете, и тем, что укрепляете.

Тони Гаскинс, писатель и оратор

Отслеживайте, когда ваши эмоциональные границы слабеют. Возможно, это происходит тогда, когда вас полностью захватывает чье-то настроение — например, вашего нервного друга. Или это происходит тогда, когда вы бросаете свои дела или заботы, чтобы удовлетворить срочные эмоциональные потребности, скажем, вашего родственника. Или это случается, когда вы с головой погружаетесь в чьи-то проблемы или трудности, к примеру вашего коллеги, переживающего развод.

Установите пределы. Что вы готовы и что не готовы принимать, если говорить об эмоциональных потребностях других людей, их требованиях и их поведении? В ситуациях вам нужно знать, как далеко вы можете позволить им зайти. Это не означает, что нужно отдалиться от всех вокруг, но если вы не будете знать своих границ, то как сможете определить, остаетесь ли вы просто гибким или стали ковриком для вытирания ног? Границы не подразумевают наказания, они нужны для вашего благополучия и защиты. Они более эффективны, когда вы спокойны, тверды и уверены в своих силах.

Перестаньте играть роль эмоционального спасателя. Спросите себя: «А мне действительно надо в это вмешиваться? Или человек может что-нибудь придумать и сделать сам?» Доверяйте другим людям, уважайте их право чувствовать и выражать эмоции своим собственным способом. Вы по-прежнему можете принимать в них участие, поддерживать в трудные времена и праздновать вместе с ними, когда дела идут хорошо.

Визуализируйте свои границы. Представьте себе линию или забор там, куда вы готовы дойти. Или вообразите звон колокольчиков при нарушении ваших границ.

Когда вы чувствуете, что слишком сильно ассоциируете себя с другим человеком и его эмоциями, переключите свое внимание обратно на себя. Это очень просто сделать, если ущипнуть себя, потрясти головой или руками либо сделать несколько глубоких вдохов.

НАСТОЙЧИВОСТЬ

Если вы что-то позволяете, то оно так и будет продолжаться.

Неизвестный автор

Нанятый вами строитель, водопроводчик или электрик не закончил работу, о которой вы договаривались. Вы что-то одолжили другу, а когда он вернул вещь, оказалось, что она испорчена. Вы заказали обед, но вам принесли не совсем то, что вы просили. Вы работаете над проектом, который по множеству причин несколько раз откладывался, и начальник не дает вам времени на то, чтобы закончить работу. И вдобавок ко всему дети устраивают хаос в гостиной.

Были ли в вашей жизни подобные ситуации, когда вы не настояли на своем, а потом злились и чувствовали себя несчастными? Может, вам нужно научиться стоять на своем?

И настойчивость, и эмоциональный интеллект связаны со способностью определять свои чувства, управлять ими и выражать их прямыми, честными и приемлемыми способами. Быть настойчивым — значит осознавать, чего ты хочешь и чего не хочешь, и говорить об этом ясно и честно, учитывая при этом чувства, потребности и желания других людей.

На самом деле своей настойчивостью вы побуждаете других людей честно и открыто выражать свои чувства и мысли. Это помогает развить взаимопонимание, сочувствие и уважение. А это и есть эмоциональный интеллект!

На практике

Стойте на своем. Будьте тверды. Выражайте свое мнение.

Шон Джонсон, гимнастка, олимпийская чемпионка

Старайтесь замечать, что вы чувствуете в сложившейся ситуации. Вы раздражены? Чувствуете нетерпение? Тревожитесь? Вместо того чтобы игнорировать свои чувства и ничего не делать или поддаться эмоциям, позвольте им оповестить вас о том, что происходит. Потом вы сможете отреагировать уверенно, использовав свой эмоциональный интеллект.

Прежде чем что-нибудь сказать, решите:

Чего в точности вы хотите и не хотите. Оцените, сумеете ли вы сказать об этом в одном или двух предложениях. Иначе вы можете начать разглагольствовать или выдавать гневные тирады. К примеру, вы можете сказать: «Я бы хотел, чтобы ты починил брюки, которые я тебе одолжил, и отнес их в химчистку».

Как далеко вы готовы зайти в переговорах и готовы ли к компромиссу. Решите, что́ может стать альтернативой, которая устроит вас обоих. Это позволит вам не идти на уступки и не настаивать на том, что все надо делать только по-вашему. Тем не менее, если вы пойдете на переговоры или компромисс, соглашайтесь только до тех пор, пока готовы на это, но не более. Знайте, где проходят ваши границы, и стойте на своем.

Что делать, если вы не получите того, чего хотите. Это не связано с угрозами или наказаниями. Угрозы повышают эмоциональный накал и ведут к спорам. Вместо этого подумайте о решении. Когда вы смотрите на все в свете возможных решений, вы ищете ответ на поставленную проблему.

Спросите себя: «Что я хочу получить в результате? Наказание или решение? Готов ли я к переговорам и компромиссам?»

Если вы обдумаете эти вопросы, то сумеете оставаться спокойным и контролировать себя, зная, что у вас есть альтернативный план действий.

УВЕРЕННОСТЬ

Успех складывается из того, что вы можете, а не из того, чего не можете.

Неизвестный автор

Уверенность — это не то, что вы можете или не можете. Уверенность — это то, что вы, *по вашему мнению*, можете или не можете. Уверенность — уверенность в себе — это вера в то, что вы можете делать что-либо. Когда вы чувствуете себя уверенным, у вас складывается положительное отношение к себе и своим способностям, убеждающее вас в том, что вы, скорее всего, со всем справитесь. Но если вы не чувствуете себя уверенно, то, по всей вероятности, решите, что вряд ли у вас что-нибудь получится. Вы даже можете думать, что и пытаться не стоит.

Если вы чувствуете себя уверенным, то сможете справиться с возникшими проблемами или неудачами. А если уверенности не хватает, вы, скорее всего, растеряетесь и сдадитесь.

Если вы не верите в себя и свои способности, то в самых различных ситуациях рискуете почувствовать себя плохо и заработать низкую самооценку. А это только еще более ослабит вашу уверенность в себе, ухудшив ваше самоощущение. Так возникает отрицательная динамика.

Обретение уверенности в себе поможет вам ощущать себя хорошим, благодаря чему вы почувствуете уверенность и в своих способностях. Это положительная динамика, которая поможет вам развить и свой эмоциональный интеллект. Почему? Потому что уверенность вызывает у вас больше желания испытывать и понимать эмоции, помогая вам поверить, что вы можете управлять ими в положительном ключе.

На практике

Когда вы уверены в себе, вы можете здорово повеселиться. А когда вы веселитесь, то способны на потрясающие вещи.

Джо Нэмет, футболист и актер

Начните с позиции силы. Введите в любой поисковик запрос «положительные качества». Выберите пять слов, которые описывают вас. Затем составьте с каждым словом по паре предложений, которые описывали бы вас. Например, вы выбрали слова «терпеливый», «надежный», «заботливый», «веселый» и «незашоренный». Пусть это будет ваше личное позитивное заверение, правда о вас, в которую вы можете поверить и благодаря этому чувствовать себя хорошо.

Больше занимайтесь любимым делом. Что вы любите делать? Что приносит вам чувство удовлетворения, заставляя гордиться собой и своими способностями? Какими бы ни были эти занятия — ваша работа, волонтерство, хобби или интерес, друзья или семья, — почаще обращайтесь к ним.

Создавайте свою уверенность. Каждый день старайтесь сделать что-нибудь пугающее, чтобы почувствовать, как вы становитесь увереннее и храбрее.

Определите для себя то, в чем хотели бы почувствовать бо́льшую уверенность, и маленькими шагами двигайтесь к своей цели. Хотя в этом и содержится некий вызов, вряд ли это окажется слишком сложно. Например, вы хотите почувствовать себя увереннее во время обсуждений на работе. Тогда вы можете решить: «Сегодня я просто задам один вопрос на совещании». Упростите себе задачу — задайте вопрос приятному человеку.

Четко представьте, как вы уверенно ведете себя в ситуации, в которой хотели бы быть посмелее. Почувствуйте себя персонажем пьесы. Взгляните как бы со стороны — насколько спокойно и уверенно вы себя ведете.

Записывайте в дневник все шаги, которые предпринимаете для обретения уверенности в себе. Опишите каждый шаг одним или двумя предложениями, указав, как вы себя чувствовали и какой, по вашему мнению, вклад в вашу уверенность в себе внес этот шаг.

ВЕСТИ СЕБЯ «КАК БУДТО»

Ведите себя так, как будто то, что вы делаете, имеет какое-то значение. Потому что это действительно так.

Уильям Джеймс, философ и психолог

Можно ли заставить себя ощутить какую-либо эмоцию? Например, почувствовать себя страстным, заинтересованным, уверенным, мотивированным, счастливым? Да, можно. Если вести себя «как будто».

У эмоций есть три составляющие: мысли, поведение и физические ощущения. Любая из этих составляющих может послужить спусковым крючком для других. Это означает, что ваши мысли могут повлиять и на ваше поведение, и на ваше физическое самочувствие. Точно так же ваше поведение может повлиять на ваши думы или чувства.

Вы можете использовать эту закономерность как преимущество. Ведите себя так, «как будто» вы что-либо чувствуете, и приблизитесь к той эмоции, которую хотите ощутить.

Чен, иллюстратор-фрилансер, говорит: «Я знаю, что "почувствовать себя как-нибудь" редко получается, пока что-либо действительно не сделаешь. Поэтому, хотя я так себя и не чувствую, я проталкиваюсь через это ощущение, я начинаю и, еще не успев ничего осознать, растворяюсь в рисовании. Вот что заставляет меня начать — я знаю, что сразу почувствую себя так, как надо, как только начну».

Исаак Ньютон обнаружил, что объекты, находящиеся в покое, имеют инерцию покоя. Но объекты в движении имеют инерцию движения. Это точно так же относится и к чувствам, как и к падающим яблокам! Когда вы ведете себя так, «как будто» что-то чувствуете, вы создаете физическое движение, которое, в свою очередь, запускает мысли, соответствующие этому физическому действию.

На практике

Если вы хотите обрести какое-то качество, ведите себя так, как будто оно у вас уже есть.

Уильям Джеймс

Отведите себе всего пять минут в день на позитивное действие. Что бы вы ни хотели почувствовать, поразмышляйте пару минут над тем, как бы вы себя вели, испытывая эту эмоцию на самом деле. Что бы вы чувствовали, делали и думали? Представьте себе, что вы скучаете на утомительном собрании или презентации. Как вам заставить себя почувствовать интерес и приняться за работу? Делайте то, что бы вы делали, если бы вам действительно было интересно: ведите записи, задавайте вопросы, примите заинтересованный вид, спрашивайте мнение других, подумайте о том, что бы они сказали по другим вопросам.

Решите, что вы сделаете в первую очередь. Сделайте это немедленно, не размышляя и не давая своему мозгу времени для сопротивления. Как только вы начнете что-либо делать, продолжать будет уже легче. Предпримите одно действие, и все остальное будет вытекать из него.

Вам предстоит трудный разговор с кем-нибудь? Придумайте первую фразу и начинайте говорить немедленно. Разговор начнется именно с этой фразы — он может пройти хорошо, а может и плохо, но вы при этом будете открыты для общения. Хотите поднять себе настроение и почувствовать себя немного счастливее? Улыбнитесь, послушайте приятную музыку, сделайте то, что вы любите.

Помните о положительной петле обратной связи. Если вы будете вести себя так, «как будто» все хорошо, положительное влияние будет распространяться на ваши дальнейшие мысли и действия. Не ждите, пока ваши мысли и чувства изменятся, чтобы предпринять действие. Спустя некоторое время чувства, которые вы бы хотели испытывать в определенной ситуации, начнут возникать естественным образом.

Попробуйте это — без всяких ожиданий, просто для того, чтобы это ощутить.

ГЛАВА 4

РАЗВИТИЕ СОЦИАЛЬНОГО ИНТЕЛЛЕКТА

ПРИСЛУШИВАТЬСЯ К ЧУВСТВАМ

Речь — серебро, молчание — золото.

Турецкая пословица

Нужно понимать, что слушание — это не пассивный, а активный процесс. Вы должны со всем вниманием отнестись к тому, что говорит другой, чтобы действительно понять то, что он имеет в виду. А когда речь идет об эмоциональном интеллекте, вы, слушая то, что вам говорит другой о своих мыслях, делах и намерениях, должны также прислушиваться и к чувствам.

Например, представьте, что друг рассказывает вам длинную историю о неподобающем поведении своей начальницы. Если вы слушаете его внимательно, то можете ответить ему так: «Судя по твоим словам, она над тобой издевается. У меня такое ощущение, что тебе кажется, будто она постоянно под тебя подкапывается».

Друг может ответить: «Да, ты прав, она надо мной глумится, причем слишком часто!» Или он, прояснив свои мысли и чувства, может ответить: «Издевается? Да еще хуже — я был просто в ярости! Да, она под меня подкапывается, именно это я и чувствую».

В любом случае, слушая и стараясь понять, что говорит и чувствует другой человек, вы показываете ему, что пытаетесь увидеть происходящее его глазами. Вы проявляете сопереживание.

На практике

Что отличает нас от животных, так это то, что мы можем слушать рассказы других людей об их мечтах, страхах, радостях, печалях, желаниях и невзгодах, а они, в свою очередь, могут послушать наши.

Хеннинг Манкель, режиссер и писатель

Подтвердите, что понимаете то, о чем вам говорят. В ситуациях с высоким накалом эмоций вы можете запутаться. Иногда полезно повторить часть разговора, начав так: «Я правильно понимаю...» или: «Нельзя ли уточнить...». Кстати, возьмите себе в привычку слушать так, будто собираетесь повторить сказанное вам (как вы делаете, получая чье-то указание). Это отлично помогает сосредотачиваться во время слушания.

Слушайте и смотрите. Не забывайте о взаимосвязи вербальной и невербальной коммуникации. «Говорят» ли они все время об одном и том же? Переспросите своего собеседника: «Вы говорите, что понимаете, но выглядите неуверенным. Не можете ли вы мне сказать, что чувствуете по этому поводу?»

Задавайте вопросы, требующие развернутых ответов. Как часто вы задаете людям вопросы об их чувствах, на которые можно ответить «да» или «нет», например: «Для вас это нормально?», «Вы огорчены?», «Теперь вы довольны?». Эти закрытые вопросы предполагают только два ответа — «да» или «нет», поэтому, скорее всего, он больше ничего не скажет о своих чувствах. Лучше задавайте вопросы, требующие развернутых ответов, например: «Как вы себя чувствуете в связи с этим?».

Потренируйтесь прислушиваться к чувствам вместе с другом. Один из вас две минуты говорит на одну из следующих тем:

- самая лучшая или самая худшая работа, которая у вас когда-либо была;
- самый лучший или самый худший праздник, который у вас когда-либо был.

Когда говорящий закончит, слушающий должен подытожить сказанное им; своими словами повторить то, о чем шла речь, как он это понял; изложить основные положения рассказа и сказать, какие чувства были очевидны.

СОПЕРЕЖИВАНИЕ

Самый величайший дар человечества — это сила нашего сочувствия.

Мерил Стрип, актриса и кинопродюсер

Сопереживание — это наша естественная потребность понимать то, что переживает другой человек, думать и чувствовать как он. Оно связано с попыткой распознать и понять значение, важность и подтекст пережитого другим человеком, его мыслей и чувств, даже если они отличаются от наших.

В контексте эмоционального интеллекта, проявляя сопереживание, вы стремитесь понять эмоции другого человека — то, как он чувствует себя в определенной ситуации.

Если ваш жизненный опыт или биографии схожи, вы можете догадаться о том, что чувствует другой человек. Но даже если у вас тот же самый опыт, сопереживание подразумевает понимание уникального, субъективного опыта другого человека. Вы привлекаете свое понимание, эмоциональный опыт и чувства, чтобы помочь себе понять, что говорят и чувствуют другие, но не забывайте, что другой человек в той же самой ситуации может чувствовать и думать по-другому.

На практике

Может ли на свете быть большее чудо, чем тот миг, когда мы всего одно мгновение смотрим глазами другого человека?

Генри Дэвид Торо

Просто слушайте. Связано это с вами или нет — к примеру, ваш собеседник может злиться из-за только что полученного штрафа за неправильную парковку или огорчаться из-за того, что послушал вашего совета и припарковался там, где вы сказали, — ничего не делайте, просто слушайте и принимайте все, что он говорит и чувствует.

Вы можете не соглашаться с его чувствами, но принятие того, что чувствует другой человек, открывает путь к признанию обоснованности его эмоций. Поэтому не прерывайте, не пытайтесь наставлять его на путь истинный, умиротворять, предлагать решения или останавливать поток его чувств. Сначала просто выслушайте.

Что сказать? Сопереживание — это не обязательно точное знание того, через что проходит другой человек, или того, что он чувствует. Допускается, что вы можете этого не понять. Но даже совсем ничего не поняв, вы чувствуете, что собеседнику тяжело. Или что он страдает от несправедливости, испытывает замешательство, огорчение или что-то еще.

Самый простой жест — мягкое касание, сочувственный взгляд или поднятый вверх большой палец — часто может выразить молчаливую поддержку.

Если вы хотите что-то сказать, то не начинайте с фразы: «Я знаю, что ты чувствуешь». Лучше произнесите: «Мне очень жаль, что все так произошло... Должно быть, тебе тяжело / ты в замешательстве / раздражен / разочарован / огорчен». Так вы покажете, что его переживания вполне обоснованны и вы понимаете, что ему трудно, больно, он огорчен и запутался.

ЧЬЕ-ТО РАЗОЧАРОВАНИЕ

Я действительно не знаю, как наша компания выживет без вас, но, думаю, с понедельника мы попробуем и посмотрим, что получится.

Неизвестный автор

Это жестокая шутка, но сказать кому-то, что он больше не в команде, что он не прошел тест, что не получит работу, огорчить кого-то или сообщить ему плохую новость — это все не шутки. Это всегда неприятно.

Часто сообщить человеку неприятную новость бывает так же тяжело, как и ему ее получить. В этом есть две проблемы: во-первых, надо знать, когда, как и что сказать, а во-вторых, нужно уметь управлять реакцией собеседника, его разочарованием, слезами и/или злостью.

Хотя вы и не должны говорить лишь то, что требуется другому человеку, но если посмотрите на ситуацию его глазами, то сумеете сказать то, что хотите, наилучшим способом, учитывая его переживания.

На практике

Цена приближенности к президенту — необходимость сообщать ему плохие вести. Если не скажешь ему правду, ты его подведешь. Другие ведь этого не сделают.

Дональд Рамсфелд, политик

Подготовьтесь к тому, что вы будете говорить. Предугадать реакцию собеседника помогают и вопросы, которые он может задать. Но если вам нужно сообщить неприятную новость немедленно, вы можете сказать: «Мне нужно с вами поговорить о...». По крайней мере, это хоть как-то подготовит собеседника к дальнейшему и вы не просто вывалите на него плохие новости.

Объясните причины. Кратко объясните, что привело к такой ситуации. Обрисуйте контекст — то, что имеет отношение к проблеме. Это может иметь значение для того, как плохая новость будет принята и понята. Например: «Мы обдумали, кого хотели бы видеть в своей команде. У каждого из вас есть необходимые умения и способности. Мы выбирали не по личным качествам, а по соответствию нового человека нашим планам». Покончив с контекстом, просто и честно изложите плохую новость: «Простите, но в финальном матче лиги вы играть не будете».

Признавайте эмоции собеседника. Если только разочарование вашего собеседника напрямую не касается вас, не делайте его проблему своей и не воспринимайте ее слишком эмоционально. Ваша реакция должна отражать то, что вы понимаете чувства другого человека: «Мне очень жаль, что вы так огорчены. Я вижу, что сложившаяся ситуация для вас все усложняет / разочаровывает вас». Не говорите: «Я знаю, что вы чувствуете» или «Постарайтесь об этом не думать». Хотя вы можете желать собеседнику только добра, ему может казаться, что вы на самом деле ничего не понимаете или просто пытаетесь уйти от неприятной темы.

Если это возможно, то скажите, чем вы можете ему помочь. Посоветуйте, что ему делать дальше. Сосредоточьтесь на том, что можно сделать, а не на том, чего сделать нельзя. Если у вас нет ответов на какие-то вопросы собеседника, так и скажите. Если вы знаете, где он может получить ответы на свои вопросы, то сообщите ему об этом.

ДОБРОТА И ВНИМАТЕЛЬНОСТЬ

Люди забудут, что вы сказали, люди забудут, что вы сделали, но они никогда не забудут, как вы заставили их себя чувствовать.

Майя Энджелоу, писательница и поэтесса

Доброта и сострадание — это два самых положительных качества эмоционального интеллекта. Каждое из них берет начало во внимании и заботливости — в обдуманном осознании чувств и обстоятельств жизни окружающих или в уважении к ним.

Быть добрым и внимательным означает думать не только о себе, но и о других, стараясь понять, не жалея времени и сил, что они могут чувствовать, а также замечать, до какой степени ваше поведение может оказать на них положительное влияние. Вы считаете себя обязанным по возможности что-то сделать, желая кому-то помочь. Вы подключаете свой разум и сердце, проявляя внимание и предпринимая что-либо, чтобы продемонстрировать добрые намерения по отношению к окружающим.

Хотя доброта и внимательность не требуют никакой награды и признания, они приносят удовлетворение и вам, и тому, кому вы помогаете. Когда вы думаете о том, что́ надо сделать для другого, вы оцениваете ситуацию с его точки зрения. Это поможет вам развить сопереживание.

На практике

Если вы будете внимательны к другим, это позволит и вам, и вашим детям добиться в жизни большего, чем диплом любого колледжа и профессиональные достижения.

Мэриан Райт Эдельман, общественная деятельница

Старайтесь предугадать, что может потребоваться другим людям. Вы должны встретиться с другом и знаете, что пойдет дождь? Прихватите лишний зонтик. Видите, что коллега клюет носом над работой? Сварите ему кофе.

Находясь среди людей, будьте внимательны к ним. Говорите по телефону немного тише, чем обычно. Позвольте другому водителю вписаться в транспортный поток (безопасно) впереди вас. Будьте добры и сочувствуйте людям, которых не знаете, — человеку, который выглядит замученным, или усталому попутчику в общественном транспорте. Улыбнитесь им и подбодрите добрым словом.

Подумайте, кому из вашего окружения нужно ваше сочувствие. Возможно, это одинокий, больной или озабоченный какими-то проблемами человек. Не считайте, что вы спасаете другого человека, и не вникайте в его ситуацию. Просто сделайте обдуманный жест доброты и внимания — телефонный звонок, письмо, SMS, букет цветов или приглашение на чашку кофе.

Внимательно относитесь к финансовому положению окружающих. Если у друга или коллеги проблемы с деньгами, не предлагайте ему пойти в дорогой ресторан, на вечеринку или бурно провести выходной. Если только у вас нет повода угостить всех за свой счет, поищите недорогие развлечения.

Не монополизируйте беседу. Обращайте внимание на то, сколько вы говорите по сравнению со своими собеседниками. В следующий раз во время разговора удостоверьтесь, что вы даете им шанс говорить. Спросите, что они думают и как себя чувствуют. Не все в этом мире крутится вокруг вас!

Будьте пунктуальны. Когда вы ведете себя так, будто ваше время важнее, чем время окружающих вас людей, это довольно бесцеремонно. Возможно, у вас это выходит непреднамеренно, но если вы всегда опаздываете, то тем самым демонстрируете другим, что не уважаете их время и чувства.

ЧУЖОЙ ГНЕВ

Гнев гасит свет разума.

Роберт Г. Ингерсол, юрист, публицист и оратор

Сколько раз вам приходилось иметь дело с разгневанным человеком? Возможно, у вас на работе заказчик или клиент был недоволен обслуживанием или поставщик был огорчен запоздалой выплатой. Возможно, друг разозлился из-за того, что вы его неверно информировали. Или ваш партнер разгневался из-за того, что вы не выполнили свое обещание.

Люди злятся, когда их ожидания и расчеты расходятся с реальностью. Если они воспримут это как отрицательное явление, то почувствуют себя обманутыми, оскорбленными, как будто им угрожают или на них как-то нападают. Им может казаться, что на них не обращают внимания, над ними издеваются, им лгут, пытаются смутить или намеренно вводят в заблуждение.

Та часть мозга, которая задействует сильные эмоции, отличается от той, которая отвечает за рациональное, логическое мышление. Следовательно, когда человек злится, ему трудно рассуждать логически, потому что гнев отключает рациональное мышление. Способность мыслить ясно и спокойно утрачивается. Кажется, что вокруг такого человека неожиданно выросла непробиваемая стена.

Управлять собственными чувствами бывает трудно, но избежать эмоциональной реакции на гнев окружающих вполне можно.

На практике

Никогда не ложитесь спать злым. Оставайтесь на ногах и боритесь.

Филлис Диллер, актриса

Слушайте. Разгневанному человеку необходимо выпустить пар, поэтому не вступайте с ним в полемику, пока он не замолчит. Слушайте не перебивая, потому что ваши возражения разозлят его еще больше.

Четко представьте себе, чем именно разозлен человек. Если у вас есть какие-то сомнения, то переспросите, например: «Ты злишься из-за штрафа за неправильную парковку или из-за того, что это я предложил здесь припарковаться?». В этот момент вы просто хотите убедиться, что правильно понимаете ситуацию.

Выясните, чего ждал ваш собеседник. Спросите, что бы он хотел, чтобы происходило сейчас или в следующий раз в подобной ситуации.

Оставайтесь спокойным, говорите медленно, не угрожайте и не принимайте воинственную позу. Определите, как вы себя чувствуете и какой видите ситуацию. Вы можете не соглашаться с точкой зрения другого человека и с его ожиданиями. Но можете и согласиться. Если гнев направлен на вас, извинитесь и предложите все исправить.

Отвечайте только за свои действия. Вы не должны отвечать за поведение других людей или за чьи-то эмоции. Вы не «заставляли» их злиться. Вы не виноваты в том, что они решили злиться или огорчаться из-за вас, кого-то другого или чего-то еще. Им нужно управлять своими собственными чувствами и реакциями.

Уходите. Не оставайтесь рядом с человеком, если его озлобленность приводит вас в замешательство или пугает, если он вас оскорбляет или вам угрожает. Скажите: «Я знаю, что ты злишься, но я в замешательстве / мне страшно». Если вы ощущаете, что разгневанный человек вам угрожает, доверьтесь своему чутью. Уходите, если не чувствуете себя в безопасности или слишком расстроены, чтобы попытаться как-то разрешить ситуацию.

МОТИВАЦИЯ И ВДОХНОВЕНИЕ

Больше всего мы хотим найти того, кто вдохновил бы нас стать теми, кем, как мы знаем, мы можем быть.

Ральф Уолдо Эмерсон

Друг хочет выйти с вами на десятикилометровую пробежку, но не уверен, в хорошей ли он форме. Коллега хочет попросить повышения, но говорит вам: «Вряд ли меня повысят, возможно, мне для этого не хватает опыта». Родственник хочет пойти на вечеринку для холостяков, но опасается, что будет стесняться, зажиматься и не найдет общего языка с другими гостями.

Если вы хотите побудить человека что-то сделать, вам нужно его мотивировать. Объясните ему, почему он должен чего-то достигать. Вам нужно привлечь его логическую, рациональную, мыслящую сторону. Если вы хотите вдохновить человека на что-то, вам нужно разбудить его дух. Вам нужно привлечь его эмоции и воображение.

Часто в подобной ситуации приходится делать и то и другое, мотивировать и вдохновлять.

Когда вы мотивируете и вдохновляете других людей, это позволяет вам демонстрировать окружающим свои лучшие стороны и оправдывать лучшие ожидания людей, заставляя их поверить: «Ты *можешь* это!».

На практике

У кого будут самые заинтересованные, самые вдохновленные избиратели, которые придут на голосование? Вы знаете ответ на этот вопрос.

Майкл Мур, кинорежиссер, писатель и журналист

Найдите, чем можно мотивировать человека. Это может быть совсем не то, что вы предполагаете, поэтому задавайте ему вопросы. Какие причины, меры поощрения, награды нужны ему взамен потраченных сил и времени? Какими бы ни были его причины, если вы знаете, чтó может принести ему пользу, скажите человеку об этом. Возможно, это финансовая или материальная выгода либо то, что необходимо лично ему, учитывая его стремление как-то улучшить себя или свое положение. Что бы это ни было, скажите ему об этом и постоянно напоминайте.

Признавайте трудность задачи, но подчеркивайте ее плюсы. Если человек не уверен в себе или сопротивляется, постарайтесь понять его чувства и мысли. Вдохновлять других — значит признавать трудность задачи, но быть уверенным в том, что человек может все преодолеть и добиться успеха. Будьте позитивны и оптимистичны.

Обсудите, какие качества и сильные стороны человека помогут разрешить проблему и преодолеть трудности. Если вы сможете поддержать человека и подбодрить его, когда ему трудно, то сумеете его вдохновлять на то, чтобы он увидел самое лучшее в себе и в ситуации.

Установите с ним эмоциональную связь. Вдохновение требует эмоций и задействует их. Людей вдохновляют возбуждение и страсть, когда они осознают, что могут чего-то добиться в значимых для них сферах. Их вдохновляют такие эмоции и ценности, как любовь, злость, гордость, справедливость и триумф. Влияйте на мысли и чувства человека так, чтобы он «загорелся» и решился на позитивные действия.

Убедите человека представить его будущий успех и ощущения от него. Когда вы вдохновляете человека, ваша цель — привлечь его воображение и эмоции, заставить его почувствовать и увидеть то, что возможно. Помогите ему представить четкую картину того, к чему он стремится.

КОМПРОМИССЫ

Давайте строить мосты, а не стены.

Мартин Лютер Кинг

С кем из родных провести Рождество, куда поехать в отпуск, в какой цвет покрасить стены в комнате, когда уйти с вечеринки, как сделать определенную часть работы... Нам часто приходится принимать компромиссные решения.

Есть множество ситуаций, в которых компромисс позволяет быстрее продвинуться вперед. Например, так бывает, когда проблема требует быстрого решения, или когда приходится что-либо делить поровну, по справедливости, чтобы избежать возможного тупика, или когда принимаемое решение важнее последствий разногласий.

Конечно, каждому человеку хочется достичь максимально возможного для себя, но в то же время каждый должен быть готов к тому, чтобы изменить свои требования и принять, что получит из желаемого далеко не все. Нужно уметь приходить к согласию и жить с принятым решением.

Когда дело доходит до переговоров по поводу компромисса, самое важное, что необходимо помнить каждому участнику сделки, — это то, что все их чувства и точки зрения будут рассмотрены другой стороной, а любое решение потребует взаимного понимания и приспособления от обеих сторон.

На практике

Учитесь мудрости компромисса, потому что лучше получить что-то, чем ничего.

Джейн Уэллс, журналист

Тщательно все обдумайте. Решите наперед, что вам нужно или чего вы хотите, чем вы легко можете пожертвовать ради компромисса, чем готовы пожертвовать с трудом, а на чем будете стоять до последнего.

Заявите, чего вы хотите, чего не хотите и что чувствуете по этому поводу. Объясните, почему вы хотите того, что предлагаете, и какие в этом есть преимущества. Потом выслушайте, чего хочет другой человек, а чего не хочет и что он по этому поводу чувствует. Ваш собеседник должен знать, что его слушают и понимают, потому что его потребности важны для него. Поэтому поймите его причины и признайте его чувства и точку зрения.

Подберите открытый для обсуждения список вариантов. Предлагайте больше одного возможного компромисса, несколько разных вариантов, которые вы хотите проработать вместе с другим человеком. Например, если вы хотите прийти к компромиссу по поводу окраски стен в комнате, учитывая, что вам нравится серый цвет, а вашему оппоненту — голубой, то вы можете вместе найти третий цвет, который понравится вам обоим, или решите, что один из вас может выбрать цвет для этой комнаты, а другой — для следующей. Или один человек выберет цвет стен, а другой — мебели.

Сосредоточьтесь на достижениях. Оба участника компромисса должны сознавать, что результат может быть совсем не таким, как они его себе представляли вначале. Окончательное решение может быть приемлемым для обоих, но не оптимальным. Однако люди могут не соглашаться на компромисс как способ разрешения ситуации или противиться ему, воспринимая его как свое поражение. Сосредоточьтесь на том, чего вы достигнете, а не на том, чем придется пожертвовать, и тогда, скорее всего, вы оба будете удовлетворены.

ПОЛНОМОЧИЯ

Вы можете сделать все что угодно, но не можете сделать всего.

Дэвид Аллен, писатель и консультант

Приходилось ли вам когда-нибудь сталкиваться с трудностями, организовывая людей так, чтобы распределить между ними обязанности по дому, групповому мероприятию или выполнению рабочего проекта? Неудачные попытки делегировать полномочия в прошлом могут убедить вас в том, что от всего этого больше проблем, чем пользы. Вам кажется, что гораздо проще и быстрее сделать все самому, чем объяснять кому-то, как делать, следить за его работой, да еще и уговаривать его.

Вполне возможно, что, когда нужно что-нибудь сделать, вы предпочитаете контролировать это сами — брать на себя всю ответственность и всю славу за достижение успеха. Или вы чувствуете, что покажете себя слабым и некомпетентным, если попросите помощи.

Но пытаться сделать все самому — это не самое рациональное использование своего времени, умений и сил. Это приводит лишь к переутомлению, тревожности и напряженности. Обратиться к кому-то за помощью вовсе не стыдно. Используя время, умения, знания и опыт других, *вы* добьетесь гораздо большего.

Если вы все будете делать правильно, то делегирование полномочий не только позволит вам наилучшим образом использовать время и умения — и свое и своих помощников, — но и поможет им почувствовать себя причастными к вашему общему делу. А это и есть эмоциональный интеллект!

На практике

Окружите себя самыми лучшими людьми, каких вы только сможете найти, передайте им власть и не вмешивайтесь.
Рональд Рейган, экс-президент США

Подберите каждому подходящее задание. Если вам некогда объяснять помощнику, что и как делать, убедитесь, что поручение, которое вы ему даете, ему по силам. Люди меньше склонны сопротивляться, если задание кажется им нетрудным. Но если у вас есть время научить других чему-то, то таким образом вы разовьете их навыки и умения. Тогда в следующий раз в подобной ситуации вы сможете полностью перепоручить им это задание.

Не перегружайте человека работой. Очень часто то, что вы считаете делегированием полномочий, воспринимается другим человеком как лишняя нагрузка. Посмотрите на ситуацию его глазами. Есть ли у него время? Если да, то что он думает и чувствует по поводу поручаемой вами работы? Предложите ему самому выбрать задание из тех, которые хотите ему делегировать, и сроки его выполнения. Спросите, какие у него есть сомнения на этот счет. Выслушайте ответ. Не забывайте о невербальной коммуникации — что она говорит вам о его чувствах?

Заинтересуйте другого человека. Пообещайте награду, объясните человеку, какую выгоду он получит от этого. Например: «Если вы это сделаете, я закончу работу сегодня, а завтра мы оба сможем пораньше уйти домой». Не допускайте покровительственного тона. Будьте позитивны и искренни — никакого эмоционального шантажа. Не манипулируйте людьми, не взывайте к их совести, говоря, как вам будет плохо и как им будет стыдно, если они откажутся сотрудничать!

Последующие действия. Проверьте, все ли в порядке у того человека, которому вы поручили работу, не нужна ли ему дальнейшая поддержка. Будьте готовы ответить на вопросы, но не становитесь микроначальником. Позвольте людям делать работу так, как они это умеют, — это создает доверие.

Выразите свою признательность. Покажите людям, что вы оценили их усилия, и тогда они с большей готовностью помогут вам в следующий раз.

ГРУППОВАЯ ДИНАМИКА

В одиночку мы можем сделать так мало, а вместе — так много.
Хелен Келлер, писательница и лектор

Будь это рабочее совещание, классное собрание или деловая встреча, где оказываются трое или больше заинтересованных лиц, их можно рассматривать как группу. У каждого из них — свой темперамент, свои особенности и странности в поведении, но, оказываясь в группе, они примеряют на себя определенные роли и ведут себя конкретным образом.

Термином «групповая динамика» обозначают воздействие этих ролей и моделей поведения на членов группы и на группу в целом. Групповая динамика — это сила, которая влияет на мотивацию, развитие и стабильность группы. Она характеризуется воздействием на личности, их стремления, энергию и идеи.

В группе с положительной динамикой ее члены принимают коллективные решения, доверяют друг другу, поддерживают друг друга и берут на себя ответственность за положительный результат.

Но при отрицательной групповой динамике поведение одного или нескольких ее членов может быть разрушительным. Отдельные личности могут быть настроены чересчур критично или негативно по отношению к идеям других. Эмоции часто накаляются, одни члены группы могут проявлять энтузиазм, а другие — сарказм и безразличие.

Иметь дело с разными людьми и их намерениями — это одинаково трудно и на работе, и в социальной жизни. Вам будет легче управлять процессами внутри группы, если вы будете лучше понимать, что происходит между людьми.

На практике

Не сомневайтесь в том, что небольшая группа мыслящих людей может изменить мир. В действительности лишь они и приносят эти изменения.

Маргарет Мид, антрополог

Тренируйтесь наблюдать за людьми. Наблюдайте за людьми в самых разных ситуациях, замечайте, как они ведут себя и как реагируют друг на друга. Попытайтесь почувствовать, что происходит между ними. Наблюдайте, как члены группы взаимодействуют между собой. Примите к сведению, как разные люди взаимодействуют друг с другом, — как они по-разному ведут себя в зависимости от того, кто перед ними.

Не забывайте о невербальной коммуникации. Что говорит вам о том, как люди чувствуют себя на самом деле? Какое **сочетание** невербальных средств коммуникации — жестов, выражения лица, тона голоса и т. д. — показало вам, что человек чувствует себя именно так по отношению к группе и ее членам?

Не забывайте о «подобии и отзеркаливании». Люди, которые ладят между собой, часто «отзеркаливают» друг друга, принимая одни и те же позы и пользуясь одним и тем же языком тела. Это естественные признаки симпатии, гармонии и понимания. Последите за тем, как люди «зеркалят» и не «зеркалят» друг друга.

Напоминайте людям о том, что у них есть общего. Если к отрицательной групповой динамике приводят особенности характера, странности и намерения отдельных людей, необходимо напомнить членам группы о том, почему они собрались вместе, — что у них общего и к чему они стремятся.

Сосредоточьтесь на общении. Открытое общение — это главное для положительной групповой динамики. Узнайте, как люди себя чувствуют. Спрашивайте их не только о том, что они думают о проблемах, задачах и достижениях, но и о том, что они чувствуют по этому поводу.

ЗАТКНУТЬ КОМУ-ТО РОТ. ИЗЯЩНО

Иногда заткнуться совсем неплохо.
Марсель Марсо, мим

Вас когда-нибудь выводил из себя человек, постоянно повторяющий одни и те же истории и анекдоты или пересказывающий никому не нужные подробности? Или тот, кто всегда норовит захватить пальму первенства в разговоре, жалуется и ноет или хвастается, выставляя себя напоказ?

Мы все знаем людей, которые говорят, не слушая других, которые полагают, что их разглагольствования интересны окружающим так же, как им самим, и которые, по всей видимости, не понимают, что выслушать собеседника — это важная часть общения и взаимосвязи с другими людьми. Люди, которые слишком много говорят, не только не соблюдают этот баланс, но и не замечают, когда собеседнику становится скучно или он начинает злиться и обижаться. Они вообще не обращают внимания на реакции другого человека.

Обычно, когда вам надоедает слушать другого, вы перестаете это делать или раздражаетесь и досадуете на говоруна либо обижаетесь, а потом грубо его прерываете.

Можно ли как-то контролировать разговор, чтобы не казаться грубияном? Да. Можно сделать это вполне изящно.

На практике

Если человек чувствует, что не может общаться, самое меньшее, что он может делать, — это молчать.

Том Лерер, композитор, певец, сатирик и математик

Вместо того чтобы отключаться, внимательно слушайте. Будьте готовы при первой возможности вклиниться в разговор. Если вы внимательно слушаете, то можете подхватить слова собеседника и повести беседу в другом направлении или закончить ее.

Будьте готовы вклиниться в разговор. Посмотрите собеседнику в глаза и назовите его по имени. Если это приемлемо, слегка коснитесь его руки. Если сидите, встаньте. Или поднимите руку, показывая, что хотите включиться в беседу. В тот момент, когда собеседник будет переводить дыхание или закончит предложение, решительно прервите его и спокойно скажите: «Я бы хотел кое-что сказать...» или «Позвольте вас прервать...».

Прибавьте что-нибудь из своего опыта, дабы подтвердить, что вы слушали собеседника. Например, скажите: «Ну, Натали, твой отпуск в Италии кажется таким интересным...» и тотчас смените тему, не переводя дыхания: «...Я не был в Италии, но был в Испании...», а затем ведите беседу туда, куда хотите. Если вы намерены ее закончить, просто попрощайтесь: «Ну а теперь мне пора идти...».

Расширьте круг. Если вы находитесь в группе людей, то попробуйте задавать им прямые вопросы. Например: «А что ты думаешь об этом, Том?». Или предложите: «Натали, пойдем со мной, я хочу представить тебя Тому / зайти в бар / взять что-нибудь поесть». Такая тактика позволит собеседнику почувствовать свою причастность, а у вас появится шанс передохнуть.

Будьте милы. Если вы закончите разговор на позитивной ноте, то и вам будет хорошо, и собеседнику приятнее. «Спасибо, вы дали мне так много хороших советов о путешествии по Италии на поезде!»

ИГРА В МОЛЧАНКУ

Вы чувствуете арктический холод? Да это просто холодок после душа, который я принимала.

Мишель Яффе, писательница

С вами когда-нибудь играли в молчанку? Вас когда-нибудь держали на расстоянии, сводя все разговоры до необходимого минимума? Кто бы себя так ни вел — ваш партнер, родственник, друг или коллега, — вы могли почувствовать себя огорченным и раздраженным. Что происходит и почему вас окатывают таким ледяным душем?

Выключая вас из общения, тот, кто вас бойкотирует, может перехватить контроль над отношениями и ситуацией. Если вы причинили ему боль своим поступком или словами, он может таким образом отомстить, заставив страдать *вас*. Чувствуя себя пострадавшим, он может ощущать свою уязвимость, поэтому решает прекратить общение, чтобы вы не смогли его обидеть вновь. Другими словами, он защищает себя.

Какой бы ни была причина молчанки — контроль над ситуацией, защита себя или желание вас наказать, — как можно противостоять человеку, игнорирующему вас, не усугубив ситуацию?

Иногда в такой отстраненности другого человека повинны вовсе не вы, а неурядицы на работе или его личные проблемы. В этом случае покажите, что вы заметили его замкнутость, и спросите, все ли в порядке и не надо ли вам чем-то помочь.

Но если человек замолкает только в вашем присутствии, а с другими людьми ведет себя как обычно, тогда вам нужно растопить лед.

На практике

Давайте, поиграйте со мной в молчанку. Сказать честно, мне нужны мир и тишина.

Неизвестный автор

Что вы сделали? Может, вы сделали что-то плохое или ужасно себя вели? Или что-то не то сказали? Или в чем-то обвинили другого человека? Или проигнорировали его просьбу о помощи? Возможно, вы и сами не знаете, что произошло. Спросите. Например: «Я чувствую, что между нами случилось что-то, что тебя огорчает». Но если вы знаете причину, то попробуйте спросить: «Как ты себя сейчас чувствуешь из-за того, что между нами произошло?»

Признайте то, что говорит другой человек о своих переживаниях, а затем скажите о своих. Например: «Мне грустно/плохо из-за того, что произошло». Или: «Я чувствую себя виноватым из-за того, что сделал». Скажите, что хотите поговорить о произошедшем, но будьте осторожны, не опускайтесь до поиска виноватых и новых обвинений.

Изберите нейтральный тон голоса. Убедитесь, что в тоне вашего голоса нет намека на излишнюю чувствительность собеседника, на то, что он слишком бурно на все реагирует и просто смешон. Презрительный или покровительственный тон усугубит ваше положение.

Примите на себя ответственность и извинитесь. Это не означает, что вы должны брать всю вину на себя или считать одного себя во всем виноватым. Вы просто должны признать, что сделали, и высказать свое сожаление по этому поводу.

Объясните, как вы можете все исправить. Например: «Я знаю, что тебя подвел. Прости меня. Могу ли я исправить это, сделав...».

А если другой человек по-прежнему не хочет общаться? Попытайтесь помириться только один раз. Если вы извинились и попробовали разобраться в происходящем, — значит, со своей стороны сделали все возможное. Теперь дело за другим человеком. Вы не можете все исправить, если он не будет этому содействовать. Возможно, ему нужно время, чтобы обдумать то, что произошло между вами, поэтому не торопите его.

ПРАВИЛЬНАЯ КРИТИКА

Критика — это выражение неодобрения не за то, что человек в чем-то виноват, а за то, что его вина отличается от вашей.
Неизвестный автор

Вспомните, когда вы в последний раз кого-либо критиковали. И как, ваша критика прошла на ура? Каждому неприятно слышать, что он ведет себя, действует, выглядит или говорит неправильно, но вы не должны отказываться от критики только потому, что она никому не нравится.

Критика может быть справедливой, если тот, на кого она направлена, не смог что-то сделать, сделал что-то плохо или неправильно. Критика может дать полезную обратную связь — реакцию, которая в результате способна привести к положительным изменениям в поведении другого человека.

Если вы молчите, стараясь не критиковать, то ваше подавляемое раздражение и неизбежное разочарование, разрастаясь все больше, могут привести к взрыву. А это вовсе не то, чего требует эмоциональный интеллект.

Можно ли критиковать других людей, не причиняя им боли и не вызывая у них злости? Использовать язык критики — это не самый конструктивный подход. Попробуйте лучше говорить с человеком не о том, что он сделал неправильно, а о том, что он мог сделать правильно. Вместо критики, которую редко хорошо принимают, предложите что-то позитивное.

На практике

Тщательно выбирайте слова. Слова — это оружие, которое может быть использовано как в вашу пользу, так и против вас.

Рита Барнс, писательница

Вначале подумайте. Прежде чем что-то сказать, решите, какими именно действиями другой человек создал для вас проблему. Далее подумайте, как все можно исправить. Проблема возникла именно у вас — в чем же ее решение? Не просто вываливайте свою критику на другого человека, предложите изменения или улучшения.

Подумайте, например, над таким критическим замечанием: «Вы поспешили сделать работу, не дожидаясь моего согласия на это. Это неправильно, это не то, чего я хотел. Вы сделали все не так».

Конструктивная критика должна включать в себя то, что можно изменить или улучшить. Лучше было бы сказать следующее: «Я вижу, вы уже справились с работой. Но мне нужно, чтобы вы кое-что доделали». И точно укажите, что именно нуждается в доработке.

Тщательно подбирайте слова. Правильные слова имеют очень большое значение. Не стоит говорить коллеге, что он «некомпетентен», лучше сказать, что ему «нужно быть внимательнее», и объяснить, как и почему. Если вы скажете: «Было бы хорошо, если...» или «Тут лучше бы сделать так...», это поспособствует положительному восприятию критики.

Не обвиняйте. Не говорите другому человеку: «Вы сделали то, вы сделали это». Лучше начинайте с местоимения «я». Например, вместо слов «вам нужно...» скажите: «Я бы хотел, чтобы вы...». Не бойтесь сказать другому человеку о своих чувствах: «Я был огорчен/смущен/разозлен, когда...», но постарайтесь избежать саркастического, враждебного или покровительственного тона. Говорите спокойно, нейтральным тоном. Это может иметь большое значение. Даже если другой человек заслуживает вашего гнева или сарказма, такая критика вам ничем не поможет. Если же вы прибегнете к ней, то не рассчитывайте на положительную реакцию критикуемого.

ОБ АВТОРЕ

Джилл Хэссон — преподаватель и писатель, автор книг «Самоосознанность» (Mindfulness), «Эмоциональный интеллект» (Emotional Intelligence) и др. Джилл является экспертом в вопросах развития доверия и повышения самооценки, коммуникативных навыков, развития уверенности в себе и способности быстро восстанавливать душевные силы.

Более двадцати лет занимается проблемами личностного развития, преподает и проводит тренинги для образовательных, волонтерских, общественных и частных организаций.

Джилл стремится помогать людям осознавать свой потенциал и жить лучшей жизнью. Вы можете связаться с ней через ее веб-сайт www.gillhasson.co.uk или написать ей на электронную почту gillhasson@btinternet.com.

ЕЩЕ НЕСКОЛЬКО ЦИТАТ

Следуйте за своим сердцем, но не забывайте о разуме.

Альфред Адлер, психолог и психиатр

Чувства очень похожи на волны, мы не можем заставить их остановиться, но можем выбрать, какое из них оседлать.

Джонатан Мартенсон, актер

Каждый из нас создает свою собственную погоду, определяя, какого цвета небо в той эмоциональной вселенной, где он обитает.

Епископ Фултон Дж. Шин

Имея дело с людьми, помните, что вы имеете дело не с логичными, а с эмоциональными созданиями.

Дейл Карнеги

Такие эмоции, как одиночество, зависть и вина, играют важную роль в счастливой жизни — роль огромных, вспыхивающих знаков, указывающих на то, что что-то нужно изменить.

Гретхен Рубин, писательница

С критикой можно не соглашаться, но она необходима. Она выполняет ту же функцию, что и боль в человеческом организме, — привлекает внимание к нездоровому состоянию вещей.

Уинстон Черчилль

Невыраженные эмоции никогда не умирают. Позже они возвращаются в куда более отвратительном виде.

Зигмунд Фрейд

Держать в себе недовольство — это то же самое, что быть закусанным до смерти одной пчелой.

Уильям Уолтон

Человек должен сдерживать свое сердце, поскольку, если он его отпустит на свободу, то вскоре потеряет контроль и над своей головой.

Фридрих Ницше

Поэзия — это когда эмоция находит свою мысль, а мысль находит слова.

Роберт Фрост, поэт

Я не слишком внятно умею говорить, когда речь заходит о моих чувствах. Но за меня обо всем рассказывает моя музыка.

Дэвид Боуи

Все истинные чувства появляются сами по себе.

Марк Твен

Сегодня ты — это Ты, и это истиннее, чем истина. Из живущих больше никто не является тобой сильнее, чем Ты сам.

Доктор Сьюз, писатель и мультипликатор

Хэссон Джилл

РАЗВИТИЕ ЭМОЦИОНАЛЬНОГО ИНТЕЛЛЕКТА

Подсказки, советы, техники

Главный редактор *С. Турко*
Руководитель проекта *Л. Разживайкина*
Арт-директор *Ю. Буга*
Корректоры *О. Улантикова, Е. Чудинова*
Компьютерная верстка *М. Поташкин*

Подписано в печать 14.02.2019. Формат 84×108/32.
Бумага офсетная № 1. Печать офсетная.
Объем 4 печ. л. Тираж 2000 экз. Заказ № 1572.

ООО «Альпина Паблишер»
123060, Москва, а/я 28
Тел. +7 (495) 980-53-54
www.alpina.ru
e-mail: info@alpina.ru

Знак информационной продукции
(Федеральный закон № 436-ФЗ от 29.12.2010 г.) 12+

Отпечатано в АО «Первая Образцовая типография»,
филиал «УЛЬЯНОВСКИЙ ДОМ ПЕЧАТИ»
432980, г. Ульяновск, ул. Гончарова, 14

«АЛЬПИНА ПАБЛИШЕР» РЕКОМЕНДУЕТ

Книга hygge

Искусство жить здесь и сейчас

Луиза Томсен Бритс, пер. с англ., 2019, 184 с.

О чем книга

В мировом рейтинге счастья Дания уже не один год занимает первые строчки. В этой стране живут самые счастливые люди, и причина тому — особое мироощущение, в основе которого лежит философия хюгге — умение жить настоящим. Автор книги Луиза Томсен Бритс убеждена, что стоит лишь немного изменить поведение и восприятие окружающего мира, и вы тоже сможете наполнить свою повседневную жизнь хюгге. Где вы чувствуете себя как дома? Какие занятия приносят вам умиротворение? С кем вам легче всего общаться? Что помогает вам расслабиться? Эти вопросы охватывают те понятия, из которых складывается хюгге: комфорт и уют, гармония с собой и окружающими, благополучие и следование обычаям. Простые советы, как найти островки спокойствия в ежедневной суете дел, и прекрасные фотографии в стиле хюгге превращают книгу в идеальный путеводитель по освоению искусства жить здесь и сейчас.

Почему книга достойна прочтения

- Овладеть искусством жить настоящим довольно просто, и для этого совсем необязательно быть датчанином. Философия хюгге кроется в понятиях, знакомых каждому: доверие, общность, взаимопомощь, родственные узы, защищенность, дом, подлинность, бытие и любовь.
- Если вы хотите придать смысл обыденным, повседневным делам, чтобы они приносили радость, научиться отвлекаться от проблем и забот, чтобы насладиться моментом покоя и восстановить силы, это книга для вас.

Кто автор

Луиза Томсен Бритс — писательница и журналист. Луиза — наполовину датчанка, наполовину англичанка — родилась в Уганде, детство провела в Великобритании, а каждые летние каникулы вместе с родителями проводила в Дании. Для Луизы хюгге — ежедневная практика, повседневная осознанность, которая достигается полноценным и искренним участием в жизни.